FR-YA DEL
Le sacrifice de
l'epo...

À Marie

Ouvrage publié originellement par The Bodley Head,
un département de Random House Children's Books
sous le titre *The Spook's Sacrifice*
Texte © 2009, Joseph Delaney
Illustrations © 2009, David Frankland
Illustration de couverture © 2009, David Wyatt

Pour la traduction française
© 2010, Bayard Éditions,
18, rue Barbès, 92128 Montrouge Cedex
ISBN : 978-2-7470-2798-4
Dépôt légal : janvier 2010
Deuxième édition

LE SACRIFICE DE L'ÉPOUVANTEUR

Traduit de l'anglais par Marie-Hélène Delval

JOSEPH DELANEY

bayard jeunesse

Le point le plus élevé du Comté
est marqué par un mystère.
On dit qu'un homme a trouvé la mort à cet endroit,
au cours d'une violente tempête,
alors qu'il tentait d'entraver une créature maléfique
menaçant la Terre entière.
Vint alors un nouvel âge de glace.
Quand il s'acheva, tout avait changé,
même la forme des collines
et le nom des villes dans les vallées.
À présent, sur ce plus haut sommet des collines,
il ne reste aucune trace de ce qui y fut accompli,
il y a si longtemps.
Mais on en garde la mémoire.
On l'appelle *la pierre des Ward.*

1
Une ménade

Un désagréable sentiment d'insécurité me tira brusquement du sommeil. Un éclair illumina ma fenêtre, accompagné presque aussitôt d'un coup de tonnerre assourdissant. J'étais accoutumé aux orages du Comté, ce n'était pas cela qui m'avait réveillé. Non, une menace rôdait. Je sautais au bas du lit quand le miroir posé sur ma table de nuit se mit à briller ; un visage s'y refléta un bref instant, mais j'avais eu le temps de le reconnaître : c'était celui d'Alice.

Bien qu'elle ait été élevée pendant deux ans par une sorcière, Alice était mon amie. Après que l'Épouvanteur l'eut bannie de chez lui, elle était retournée à Pendle. Elle me manquait. Fidèle à la promesse faite à mon maître, j'avais ignoré toutes ses tentatives pour prendre contact avec moi. Cette fois, c'était différent. Ayant soufflé sur le verre du miroir, elle venait d'écrire un message dans la buée, et je ne pus éviter de le lire avant qu'il se soit effacé :

Danger ! Ménade vient te tuer !

Une ménade ? Je n'avais jamais entendu parler de semblable créature. Et comment arriverait-elle jusqu'à moi, sachant qu'un puissant gobelin gardait le jardin de l'Épouvanteur ? Qu'un intrus franchisse la clôture, le gobelin le mettrait en pièces avec des rugissements qu'on entendrait à des lieues à la ronde. D'ailleurs, Alice pouvait-elle détecter un danger de là où elle était, si loin de Chipenden ? Malgré tout, mieux valait tenir compte de son avertissement. Mon maître, John Gregory, était parti s'occuper d'un fantôme récalcitrant ; j'étais seul à la maison. J'avais laissé mon sac et mon bâton en bas, à la cuisine. Si j'avais besoin de me défendre, il fallait que j'aille les chercher.

Je m'encourageai à mi-voix :

— Ne t'affole pas ! Prends ton temps et garde ton calme.

Je m'habillai, enfilai mes bottes. Au moment où j'ouvrais la porte de ma chambre, un nouveau coup de tonnerre éclata. Quand le silence revint, je m'engageai sur le palier obscur en tendant l'oreille. Aucun bruit. Personne n'était entré dans la maison. Un peu rassuré, je descendis l'escalier sur la pointe des pieds, traversai le hall d'entrée et pénétrai dans la cuisine, aussi discret qu'un chat.

Je glissai ma chaîne d'argent dans la poche de mon pantalon. Puis, empoignant mon bâton, je sortis par la porte de derrière. Où était le gobelin ? Pourquoi ne défendait-il pas son territoire contre cette visiteuse indésirable ? La pluie me martelait le visage. Tous les sens en éveil, j'examinai la pelouse et la lisière des arbres sans détecter de mouvement insolite. La nuit était très noire, je ne distinguais pas grand-chose, malgré le don que j'avais de voir dans l'obscurité. Je m'aventurai prudemment dans le jardin ouest en direction du petit bois.

Je n'avais pas fait dix pas qu'un hurlement à glacer le sang s'éleva sur ma gauche, suivi d'un martèlement rapide : quelqu'un courait droit vers moi. Je levai mon bâton en appuyant sur le mécanisme qui libérait la lame rétractable. Elle jaillit avec un petit *clic*.

La lueur d'un éclair me révéla mon ennemie : une grande femme maigre vêtue d'une longue robe trempée par la pluie, les cheveux noués derrière la nuque, une grimace haineuse sur le visage. Des bandes de cuir enroulées autour de ses pieds lui tenaient lieu de chaussures. De la main gauche, elle brandissait un grand couteau.

« Voilà donc à quoi ressemble une ménade », me dis-je.

Je me mis en position de défense, le bâton incliné en diagonale comme mon maître me l'avait enseigné. M'efforçant de contenir les battements de mon cœur, je me tins prêt à frapper à la première occasion.

La lame acérée du couteau décrivit un brusque arc de cercle et rata de peu mon épaule droite. Je bondis en arrière pour maintenir une distance suffisante entre mon adversaire et moi. J'avais besoin de place pour faire usage de mon arme. L'herbe mouillée était glissante. Au moment où la ménade se jetait sur moi, je dérapai et perdis l'équilibre. Je faillis basculer en arrière, me rétablis de justesse et posai un genou à terre. De la hampe de mon bâton, je bloquai juste à temps un coup qui aurait pu m'être fatal, avant de contre-attaquer. Je frappai violemment la ménade au poignet ; le couteau lui échappa. Désarmée, les traits déformés par la rage, elle bondit, glapissant comme une furie. Dans les sons gutturaux qui jaillissaient de sa gorge, je crus reconnaître des mots de grec. Esquissant un pas de côté pour éviter ses longs ongles pointus, j'abattis mon bâton de toutes mes forces. Je l'atteignis à la tempe. Elle tomba à genoux ; je n'avais plus qu'à lui transpercer la poitrine de ma lame.

Au lieu de ça, je fis passer le bâton dans ma main droite, tirai de ma poche la chaîne d'argent et l'enroulai d'un geste vif autour de mon poignet gauche. Une chaîne d'argent est censée tenir en respect n'importe quelle créature de l'obscur. Immobiliserait-elle une ménade en pleine folie meurtrière ? Je l'ignorais.

Je me concentrai. À l'instant où elle se relevait, la lumière d'un éclair l'illumina tout entière. Je n'en espérais pas autant ! Ma cible bien visible, je lançai la chaîne. Elle siffla dans les airs en décrivant une spirale parfaite et s'enroula autour du corps de la ménade, qui retomba lourdement au sol.

Je tournai autour d'elle, anxieux. Ses bras et ses jambes étaient immobilisés, ainsi que sa mâchoire, mais elle pouvait encore parler ; elle déversait un torrent d'injures dans un étrange dialecte dont je ne saisissais pas le sens.

Quoi qu'il en soit, la chaîne avait rempli son office. Je saisis ma prisonnière par un pied et la traînai sur l'herbe mouillée. L'Épouvanteur souhaiterait certainement l'interroger. Mais arriverait-il à comprendre sa langue bizarre ?

Sur le côté de la maison, un auvent protégeait notre provision de bois. J'y tirai ma captive, à l'abri de la pluie. Puis j'allumai une lanterne pour mieux l'examiner. Elle me cracha dessus, et sa puanteur – mélange de sueur aigre et de vinasse – m'agressa les narines. J'y détectai aussi des relents de viande avariée. Quand elle ouvrit la bouche, je vis des restes de chair entre ses dents. Sa langue et ses lèvres teintées de pourpre révélaient qu'elle avait bu du vin. Son visage était orné de motifs compliqués, sans doute dessinés avec de la terre rouge. Pourtant, la pluie ne les avait pas effacés.

Elle me lança un nouveau jet de salive, qui m'obligea à reculer.

Il y avait un tabouret dans un coin. Je suspendis la lanterne à un crochet et m'assis hors de portée de crachat. L'aube ne se lèverait pas avant une heure ; fatigué, je décidai de m'accorder un peu de sommeil. Je m'appuyai donc contre le mur ; les yeux fermés, je me laissai bercer par la musique de la pluie qui tambourinait sur l'auvent. La chaîne d'argent liait la ménade trop étroitement pour qu'elle puisse espérer se libérer.

J'avais à peine dormi quelques minutes qu'un bruit terrible me réveilla, un mélange de rugissements et de halètements approchant à toute allure. Je compris aussitôt : le gobelin fonçait à l'attaque !

Je n'eus que le temps de bondir sur mes pieds. La lanterne valdingua et s'éteignit. Je reçus dans le dos une poussée brutale, qui chassa tout l'air contenu dans mes poumons. Pendant que je reprenais mon souffle, j'entendis un fracas de bûches jetées contre le mur, suivi d'un cri aigu, un cri effroyable dont les échos se perdaient indéfiniment dans l'obscurité. Puis le silence revint, seulement troublé par le tapotement de la pluie sur les tuiles. Le gobelin, ayant accompli sa tâche, était parti.

Je n'osais pas rallumer la lanterne, par crainte de ce que j'allais découvrir. Je finis par m'y résoudre.

La ménade était morte, la gorge et les épaules déchiquetées. Le gobelin l'avait vidée de son sang. Je fixai le cadavre, sa robe en lambeaux, l'expression de terreur sur sa face blafarde. Il n'y avait plus rien à faire. Ce qui venait de se passer était sans précédent. La créature étant ma captive, le gobelin n'aurait pas dû y toucher. Et où était-il passé quand elle avait surgi, alors qu'il était censé défendre le jardin ?

Encore sous le choc, j'abandonnai le corps où il était et rentrai à la maison. J'avais grande envie d'utiliser le miroir pour communiquer avec Alice. Je lui devais la vie et désirais la remercier. Je faillis céder à la tentation, mais j'avais donné ma parole à l'Épouvanteur. Aussi, après avoir bataillé un moment avec ma conscience, j'allai me laver, changeai de vêtements. Puis j'attendis le retour de mon maître.

Il arriva juste avant midi. Je lui racontai ma nuit mouvementée, et nous sortîmes ensemble pour examiner la morte.

John Gregory se gratta la barbe :

– Eh bien, petit, voilà qui pose de sérieuses questions, non ?

Il paraissait préoccupé, et il y avait de quoi. Moi, cette affaire me rendait malade.

– J'ai toujours cru ma maison de Chipenden parfaitement protégée, continua-t-il. Ce qui s'est passé cette nuit ébranle mes belles certitudes. Je dormirai moins tranquille, désormais. Comment cette ménade a-t-elle pu s'introduire dans le jardin sans être repérée par le gobelin ? Rien de tel ne s'était encore jamais produit.

Je hochai la tête en silence.

Levant un sourcil interrogateur, il reprit :

– Un autre point me tracasse. Avec le grondement de l'orage et le bruit de la pluie, tu n'as pas pu entendre la tueuse approcher. Il lui aurait été facile de pénétrer dans la maison et de t'égorger dans ton lit. Qu'est-ce qui t'a alerté ?

Brûlé par son regard inquisiteur, je fixais obstiné-ment mes chaussures. Enfin, après m'être éclairci la gorge, je lui fis un récit exact des évènements.

Soucieux de me justifier, je précisai :

– Je vous avais promis de ne jamais utiliser le miroir pour communiquer avec Alice, et j'avais toujours tenu parole. Mais, cette nuit, les choses se sont passées trop vite.

Non sans irritation, je conclus :

– Heureusement que j'ai lu son message à temps, sinon, je serais mort.

L'Épouvanteur affichait le plus grand calme.

– Cet avertissement t'a sauvé la vie, c'est vrai, admit-il. Mais tu connais ma position : utiliser un miroir, parler avec cette jeune sorcière...

Voyant que je me hérissais, il changea de sujet :

– Sais-tu ce qu'est une ménade, petit ?

– Je sais seulement que, quand elle m'a attaqué, elle semblait à moitié démente.

Mon maître approuva de la tête :

– Les ménades ne s'aventurent presque jamais en dehors de leur pays d'origine, la Grèce. Elles vivent en petits groupes dans des lieux sauvages. Elles vénèrent une déesse assoiffée de sang appelée l'Ordinn. Elles tirent leur pouvoir d'un mélange de vin et de chair crue qui les fait entrer dans une transe meurtrière jusqu'à ce qu'elles trouvent une victime. Elles se nourrissent le plus souvent de cadavres, sans dédaigner pour autant les proies vivantes. Celle-ci s'était peint le visage pour se donner un aspect plus féroce, sans doute avec un mélange de lie de vin et de graisse humaine. Elle a tué quelqu'un récemment, c'est sûr. Tu as fait du bon travail en la liant avec ta chaîne d'argent, petit. Les ménades sont douées d'une force hors du commun, capables de déchirer une proie à mains nues. Au fil des générations, elles ont régressé à un stade quasi animal, tout en restant extrêmement rusées.

— Mais pourquoi a-t-elle traversé la mer et fait un tel voyage jusqu'au Comté ?

— Elle est venue te tuer, mon garçon, c'est évident. Ce que je ne saisis pas, c'est en quoi tu représentes une menace pour sa tribu, en Grèce. Quoique... Ta mère combat l'obscur là-bas. Ceci explique peut-être cela.

John Gregory m'aida à récupérer ma chaîne. Puis nous transportâmes le corps dans le jardin est. Nous creusâmes un puits profond. Comme à l'accoutumée, j'exécutai l'essentiel du travail. Craignant que, par une nuit de pleine lune, la ménade même morte, tente de regagner la surface, nous l'enterrâmes la tête en bas. Ainsi, sans s'en rendre compte, elle creuserait dans la mauvaise direction. Ce n'était pas une sorcière, mais mon maître ne prenait jamais aucun risque avec les créatures de l'obscur, surtout celles dont il ne savait pas grand-chose.

Cette tâche achevée, l'Épouvanteur m'envoya au village avec ordre de ramener le maçon et le forgeron. En fin de soirée, ils avaient scellé des pierres et des barres de fer pour fermer la fosse.

Mon maître finit par résoudre les autres mystères : il trouva à la lisière du jardin deux auges de bois tachées de rouge sombre. Elles avaient été remplies de sang, et le gobelin s'était abreuvé jusqu'à plus soif.

– Je suppose qu'une potion quelconque était mêlée au breuvage, pour endormir le gobelin ou lui embrouiller l'esprit, m'expliqua l'Épouvanteur. C'est pourquoi il n'a pas détecté l'intrusion de la ménade ; puis il l'a tuée alors qu'il n'aurait pas dû. C'est grand dommage qu'elle soit morte. On aurait pu l'interroger, apprendre pourquoi elle est venue et qui l'a envoyée.

– Le Malin y serait-il pour quelque chose ? demandai-je. Aurait-il pu la charger de me tuer ?

Le Démon était en liberté dans notre monde depuis le mois d'août. Les trois clans de sorcières de Pendle – les Malkin, les Deane et les Mouldheel – s'étaient unis pour l'invoquer. Après quoi, les clans avaient repris leur guerre les uns contre les autres, certaines sorcières s'étant alliées au Malin, d'autres se montrant ses plus farouches ennemies. Je l'avais affronté à trois reprises. Mais, bien que ces rencontres m'aient laissé à chaque fois aussi tremblant qu'un chaton mouillé, je savais que le Malin ne m'exécuterait pas de ses propres mains, parce qu'il était entravé.

De même qu'on attache les pattes d'un cheval pour qu'il ne s'éloigne pas, le Malin avait été entravé dans le passé, ce qui limitait son pouvoir. S'il décidait de me tuer lui-même, il ne régnerait sur Terre que pendant cent ans, autant dire rien au regard de l'éternité ! Il n'avait donc que deux possibilités : envoyer un de ses enfants faire le travail ou m'attirer de son côté. S'il réussissait à m'entraîner vers l'obscur, il dominerait le monde jusqu'à la fin des temps. Il avait tenté de me séduire, lors de notre dernière entrevue. Cependant, si une autre main m'assassinait – celle de la ménade, par exemple –, le Malin prendrait peu à peu possession de la Terre.

L'Épouvanteur semblait pensif :

– Le Malin ? Ce n'est pas impossible, petit. Nous devons nous tenir sur nos gardes. Cette fois, nous avons eu de la chance.

Je faillis objecter que la chance n'y était pas pour grand-chose. Sans l'intervention d'Alice... Je m'en abstins, toutefois. Les dernières heures avaient été assez rudes comme ça, inutile d'irriter mon maître.

La nuit suivante, je n'arrivais pas à trouver le sommeil. Au bout d'un moment, je me levai, allumai une bougie et relus la lettre de maman, que j'avais reçue au printemps.

Cher Tom,

Le long et dur combat contre l'obscur dans mon propre pays redouble d'intensité, et nous avons beaucoup à discuter, tous les deux ; j'ai plusieurs révélations à te faire, ainsi qu'une requête à t'adresser. J'attends quelque chose de toi, en plus de ton aide. S'il y avait un moyen de l'éviter, je ne te le demanderais pas. Mais il y a des paroles qui doivent se dire face à face, pas dans une lettre.

J'ai l'intention de revenir à la maison pour un court séjour au moment du solstice d'été.

J'ai écrit à Jack pour l'informer de mon arrivée, j'espère donc te voir à la ferme à cette date. Travaille avec acharnement, mon fils, et garde espoir, même si l'avenir te paraît bien sombre. Tes forces sont plus grandes que tu ne le penses.

Je t'embrasse,

Ta maman

Dans moins d'une semaine, ce serait le solstice d'été. John Gregory et moi prendrions la route du

Sud pour nous rendre à la ferme de mon frère Jack et y retrouver maman. Elle m'avait beaucoup manqué, j'étais impatient de la revoir. Mais j'attendais avec anxiété les révélations qu'elle avait à me faire.

2

Le Bestiaire de l'Épouvanteur

La matinée qui suivit fut occupée par les leçons habituelles. J'entamais ma troisième année d'apprentissage. La première avait été consacrée à l'étude des gobelins ; la seconde, à celle des sorcières. Je me plongeais à présent dans l'histoire de l'obscur.

– Prépare-toi à prendre des notes, m'ordonna l'Épouvanteur.

J'ouvris mon cahier, plongeai ma plume dans l'encre et attendis.

J'étais assis sur le banc du jardin ouest. C'était une belle journée d'été, le soleil brillait dans un ciel sans nuages. Des moutons paissaient sur le flanc de la colline, l'air résonnait de chants d'oiseaux, et le bourdonnement ininterrompu des insectes me berçait agréablement.

Mon maître commença, tout en marchant de long en large :

— Comme je te l'ai déjà dit, petit, l'obscur se manifeste de façons différentes selon les lieux et les époques. Cependant, ainsi que nous l'avons appris il y a peu à nos dépens, ses plus redoutables agissements, dans le Comté et les régions environnantes, sont le fait du Malin en personne.

Ma poitrine se serra au souvenir de ma dernière rencontre avec le Démon. Il m'avait révélé un terrible secret : Alice, avait-il prétendu, était sa fille. J'avais du mal à le croire. Alice, ma seule amie, la fille du Diable ? Elle qui m'avait sauvé la vie à tant d'occasions ? Pourtant, si telle était la vérité, l'Épouvanteur avait eu raison de la bannir ; nous ne pourrions plus jamais être ensemble. Et cette idée m'était insupportable.

— Bien que le Malin soit notre principal sujet d'inquiétude, poursuivit mon maître, d'autres créatures de l'obscur sont susceptibles de franchir certaines portes et de s'introduire dans notre monde. Elles y sont parfois aidées par des sorcières, des magiciens, voire par des humains mal intentionnés. On compte parmi elles d'anciens dieux, comme ce Golgoth que nous avons affronté sur la lande d'Anglezarke[1].

Je hochai la tête. La lutte avait été serrée, et j'avais bien failli y laisser ma peau.

– Par chance, reprit-il, nous l'avons renvoyé à son sommeil. Mais il en existe d'autres, parfaitement éveillés, eux ! Prends la Grèce, la patrie de ta mère. Je t'ai parlé hier de l'Ordinn, cette cruelle divinité vénérée par les ménades. Depuis des temps immémoriaux, elle provoque régulièrement des bains de sang. Nul doute qu'elle soit au cœur du combat mené là-bas par ta mère. Je ne sais pas grand-chose sur l'Ordinn. Il semble toutefois qu'elle surgisse toujours en compagnie de ses troupes, qui tuent tout ce qui a souffle de vie sur des lieues à la ronde. Habituellement éparpillées à travers le pays, les ménades se réunissent alors en grand nombre pour l'accueillir, telle une horde de vautours impatients de festoyer sur les cadavres. C'est pour elles un temps d'abondance, en récompense de leur fidélité et de leur dévotion à la déesse. Ta mère nous en apprendra sûrement davantage. Dans mon Bestiaire, beaucoup de pages blanches attendent d'être remplies.

---

1. Lire *Le secret de l'Épouvanteur*.

Le Bestiaire de l'Épouvanteur, l'un des plus gros et des plus intéressants volumes de sa bibliothèque, recensait de multiples créatures, plus terrifiantes les unes que les autres. Sur certaines, cependant, les informations étaient rares, et mon maître profitait de toutes les occasions pour mettre son livre à jour.

— Ce que nous savons, en revanche, reprit-il, c'est que, contrairement aux anciens dieux, l'Ordinn n'a pas besoin d'une assistance humaine pour franchir le portail qui l'introduit dans notre monde. Le Malin lui-même n'y aurait pas réussi sans l'aide des sorcières de Pendle. Elle, semble-t-il, va et vient à son gré.

— Ses troupes, demandai-je, à quoi ressemblent-elles ?

— Ce sont des habitants de l'obscur, des démons, des élémentaux, ces êtres liés aux quatre éléments. Les démons ont généralement une apparence humaine, mais leur force et leur cruauté, elles, sont surhumaines. On compte aussi des lamias ailées appelées vangires. Tant d'entre elles ont rallié l'Ordinn qu'il n'en reste presque plus ailleurs. Elles vivent seules ou à deux, comme les sœurs de ta mère. Imagine le spectacle à l'arrivée de l'Ordinn ! Ces nuées de créatures fondant du haut du ciel pour déchirer la chair des vivants ! Effroyable !

J'imaginais parfaitement. Les deux sœurs de ma mère étaient des lamias ailées, et je les avais vues à l'œuvre quand elles combattaient à nos côtés lors de la bataille de Pendle. Elles avaient provoqué des ravages dans les rangs des sorcières.

Pensif, l'Épouvanteur continua :

– Oui, la Grèce est un endroit dangereux. Ta mère s'est consacrée à une tâche bien rude... On y trouve aussi des lamias sauvages, de celles qui se propulsent à grande vitesse sur leurs quatre membres. C'est une espèce très répandue, là-bas, surtout dans les montagnes. Cette leçon terminée, je te suggère de monter à la bibliothèque, de te plonger dans mon Bestiaire pour rafraîchir tes connaissances, et d'en résumer des passages dans ton cahier.

– Vous avez cité les élémentaux. De quoi s'agit-il exactement ?

– Ceux qui accompagnent l'Ordinn sont des êtres liés au feu. Il n'existe rien de semblable dans le Comté. Mais je t'en dirai davantage une autre fois. Pour l'instant, nous allons reprendre l'étude de l'Ancien Langage, qui est beaucoup plus ardu que le grec ou le latin.

L'Épouvanteur avait raison, les exercices qui suivirent me donnèrent la migraine. Il était pourtant primordial que j'apprenne l'Ancien Langage, car il était parlé par les anciens dieux et leurs alliés. Les grimoires et les livres de magie noire utilisés par les nécromanciens étaient également rédigés dans cette langue.

Je fus soulagé, quand la leçon se termina enfin, de pouvoir monter à la bibliothèque. J'aimais cette pièce, qui faisait la joie et la fierté de mon maître. Elle lui avait été laissée en héritage, ainsi que la maison, par son propre maître, Henry Horrocks. Certains ouvrages avaient appartenu à ses prédécesseurs et avaient été lus par plusieurs générations d'épouvanteurs. D'autres étaient de la main de John Gregory lui-même. S'y trouvaient réunies des connaissances récoltées au long de vies consacrées à la lutte contre l'obscur.

Une des grandes craintes de l'Épouvanteur était qu'il arrivât malheur à sa bibliothèque. C'est pourquoi il avait confié à Alice, quand elle habitait avec nous, la tâche de recopier les livres. Il estimait de son devoir de transmettre sa collection aux futurs épouvanteurs et d'ajouter sa contribution à ce précieux fonds de savoir.

Des milliers de volumes étaient alignés sur les étagères, mais je mis aussitôt la main sur le Bestiaire. Des créatures de toutes sortes y étaient recensées, depuis les gobelins et les démons jusqu'aux sorcières et aux élémentaux, avec des dessins et des commentaires où l'Épouvanteur relatait ses méthodes pour affronter l'obscur. Je le feuilletai pour trouver le chapitre consacré aux sorcières lamias.

La première, Lamia, la mère de toutes les autres, était une magicienne d'une grande beauté. Elle tomba amoureuse de Zeus, le roi des anciens dieux, époux de la déesse Héra. Lamia commit l'imprudence de donner au dieu plusieurs enfants. Lorsque Héra s'en aperçut, sa rage et sa jalousie furent telles qu'elle les massacra. Lamia, folle de douleur, se mua à son tour en tueuse d'enfants. Elle fit couler des ruisseaux de sang, tandis que l'air retentissait des cris de détresse des malheureux parents. Les dieux finirent par la châtier ; ils transformèrent le bas de son corps en queue de serpent écailleuse.

Après cette métamorphose, Lamia s'en prit aux jeunes gens. Elle les attirait dans une clairière, ne laissant apparaître que ses splendides épaules et son délicat visage au-dessus des fougères luxuriantes. Dès qu'un imprudent s'était approché, elle s'enroulait autour de lui, l'étouffait dans ses anneaux et, les dents plantées dans le cou de sa victime, la vidait de son sang jusqu'à la dernière goutte.

Plus tard, Lamia eut un amant du nom de Chaemog, un être à l'allure d'araignée, qui vivait dans de profondes cavernes. Elle eut de lui des triplées, qui furent les premières sorcières lamias. *Le jour de leur treizième anniversaire, celles-ci se querellèrent violemment avec leur mère. Au cours d'une terrible bataille, elles taillèrent son corps en pièces et jetèrent ses restes en pâture – cœur compris – à une horde de sangliers.*

Venait ensuite une description des différentes sortes de lamias, leur apparence, leurs mœurs et – élément le plus important pour un épouvanteur – la façon de se comporter avec elles. J'en savais déjà beaucoup sur le sujet. John Gregory avait vécu pendant des années avec une lamia domestique du nom de Meg, tout en gardant sa sœur sauvage, Marcia, au fond d'une fosse, dans la cave de sa maison d'Anglezarke[2]. Toutes deux étaient reparties en Grèce, à présent. Mais, lors de mon séjour à Anglezarke, j'avais eu le temps de les observer.

Je poursuivis ma lecture, prenant parfois des notes. Cette révision n'était pas inutile. Je trouvai une référence aux vangires, que l'Épouvanteur avait mentionnées plus tôt. Et ces considérations me ramenèrent à ma mère. Tout petit déjà, j'avais compris qu'elle était différente. Son léger accent révélait

---

2. Lire *Le secret de l'Épouvanteur*.

qu'elle n'était pas native du Comté. Elle ne supportait pas le soleil et gardait presque toujours les rideaux tirés dans la journée.

Puis j'avais appris de mon père comment il l'avait sauvée, en Grèce. Plus tard, elle m'avait fait une révélation importante : en tant que septième fils d'un septième fils, je possédais des dons particuliers ; j'étais le cadeau qu'elle faisait au Comté, une arme vivante contre l'obscur. Il me manquait cependant la dernière pièce du puzzle : qui était *vraiment* maman ?

Ses sœurs étaient des lamias ailées, une espèce que l'on rencontrait rarement – ainsi que l'Épouvanteur l'avait souligné – hors de la présence de l'Ordinn. Toutes deux séjournaient à présent à la Tour Malkin, où elles gardaient les malles que maman m'avait léguées, contenant de l'argent, des potions et des livres. Ma mère devait être une lamia, elle aussi. Une vangire. Plus j'y réfléchissais, plus cela me paraissait vraisemblable.

Encore un mystère qu'il me fallait résoudre, même s'il m'était impossible de questionner maman directement. C'était à elle de m'en parler, me semblait-il. Quoi qu'il en soit, j'aurais sans doute bientôt la réponse.

En fin d'après-midi, l'Épouvanteur m'accorda quelques heures de liberté. Je partis donc me promener dans les collines. Je grimpai jusqu'au pic de Parlick ; je contemplai les ombres des nuages courant sur la vallée, en contrebas ; j'écoutai le cri si particulier des pluviers : *piwit ! piwit !* Et je pensai à Alice.

Comme elle me manquait ! Nous avions passé tant de moments heureux à courir sur ces pentes, le Comté verdoyant à nos pieds. Sans elle, ces paysages n'avaient plus aucun charme. J'attendais avec impatience qu'arrive la fin de la semaine pour que nous nous mettions en route, l'Épouvanteur et moi. J'avais hâte de retourner à la ferme et de revoir maman, hâte de savoir ce qu'elle avait de si secret à me confier.

3
Substitution ?

Le matin de notre départ, je descendis au village pour acheter les provisions de la semaine, car nous ne serions absents que deux ou trois jours. Je passai chez le boulanger, chez l'épicier, chez le boucher. Je prévins les commerçants que, si quelqu'un, requérant les services de l'Épouvanteur, sonnait la cloche au carrefour des saules, il n'aurait pas de réponse.

Sur le chemin du retour, mon sac me parut plus léger qu'à l'ordinaire. La pénurie se faisait sentir. Dans le Sud, la guerre continuait, et les nouvelles étaient mauvaises. Nos forces battaient en retraite ; tant de vivres étaient réquisitionnés pour nourrir l'armée que la population la plus pauvre mourait de faim. À Chipenden la situation s'était encore dégradée. On voyait au fil des semaines davantage de visages faméliques, de maisons abandonnées. Des familles entières étaient montées vers le Nord dans l'espoir d'y trouver de meilleures conditions de vie.

Mon maître et moi partîmes d'un bon pas. Comme d'habitude, je portais mon bâton et nos deux sacs, mais cela m'était égal. L'idée de revoir bientôt maman me donnait des ailes. Au bout d'un moment, toutefois, l'Épouvanteur ralentit. Je l'avais distancé, et je dus m'arrêter pour l'attendre. À sa mine, je vis qu'il était irrité.

– Pas si vite, petit ! grogna-t-il. Mes vieilles jambes n'arrivent pas à te suivre. Nous avons quitté Chipenden avec une journée d'avance, ta mère n'arrivera pas avant demain.

Le lendemain, en fin d'après-midi, avant même d'avoir atteint la colline du Pendu, je vis des tourbillons de fumée s'élever du côté de la ferme. Une bouffée d'angoisse me fit battre le cœur. Cela me rappelait l'attaque des sorcières de Pendle, l'année précédente. Elles avaient brûlé notre grange, dévasté la maison, volé les malles de maman, enlevé Jack, Ellie et la petite Mary.

Or, quand nous entamâmes la descente sur l'autre versant, la peur fit place à l'étonnement. Derrière la ferme, une douzaine de feux étaient allumés, une odeur de bois brûlé et de viande rôtie emplissait l'air. Qui pouvait bien camper dans la prairie ? Jack n'aurait jamais autorisé des étrangers à s'installer sur ses terres, et je me demandais si cela avait un rapport avec l'arrivée de maman.

Mais je ne m'interrogeai pas plus longtemps, car je sus aussitôt qu'elle était déjà à la maison. Ce n'était pas à cause du filet gris montant de la cheminée pour se perdre dans le ciel clair. Non, sans que je puisse expliquer comment, je sentais sa présence. Les larmes me brouillèrent la vue.

– Maman est là, dis-je à mon maître en sautillant d'impatience.

– Tu as sans doute raison, petit. Cours la saluer. Vous avez beaucoup à vous dire, et vous aurez besoin d'être seuls. Je t'attendrai ici.

Je le remerciai d'un sourire et m'élançai sur la pente. Avant que j'aie pénétré dans la cour de la ferme, mon frère Jack surgit au tournant du sentier. La dernière fois que je l'avais vu, il se remettait à peine de l'affreux traitement que lui avaient infligé les sorcières. Il avait été à deux doigts de mourir. À présent, sous ses sourcils broussailleux, son visage était bruni par le soleil ; il paraissait de nouveau en pleine santé. Il me gratifia d'une étreinte digne d'un ours, qui expulsa l'air de mes poumons.

– Ça fait plaisir de te revoir, Tom ! s'exclama-t-il joyeusement en me tenant à bout de bras.

– Et moi, je suis heureux de te voir si en forme !

– C'est à toi que je le dois ! Ellie m'a tout raconté. Sans ton intervention, je serais désormais six pieds sous terre. Je ne saurai jamais assez te remercier.

Je n'avais aucune envie de raviver les pénibles souvenirs de la Tour Malkin[1]. J'enchaînai donc, plein d'espoir :

– Maman est arrivée, n'est-ce pas ?

Il me le confirma d'un hochement de tête, le visage rembruni. Il parut soudain mal à l'aise, et je lus de la tristesse dans son regard :

– Oui, Tom, elle est là, et très impatiente de te voir. Mais je préfère te prévenir : tu vas la trouver changée.

– Changée ? En quoi est-elle changée ?

– J'ai eu du mal à la reconnaître. Il y a au fond de ses yeux quelque chose de... sauvage. Et elle a rajeuni, comme si le cours des années s'était inversé. Je sais, ça paraît impossible ; pourtant, c'est vrai.

---

1. Lire *L'erreur de l'Épouvanteur*.

Je n'en dis rien à mon frère, mais je ne comprenais que trop bien la raison de cette transformation. Les sorcières lamias échappent à la loi du vieillissement telle que la subissent les humains. Comme la lecture du Bestiaire me l'avait révélé, les lamias devenues domestiques ressemblaient à de très belles femmes. Hors de ce contexte, elles retrouvaient peu à peu leur aspect sauvage. Sans doute maman avait-elle entamé ce processus. C'était une idée aussi troublante qu'effrayante, je préférais l'écarter de mon esprit.

Jack ne dissimulait pas son anxiété. Il me questionna d'une voix hésitante :

– Tom, toi qui es instruit dans ces sortes de choses, qu'en penses-tu ? Si c'était une... substitution ? Si elle avait été capturée par des êtres malfaisants, là-bas, en Grèce, et remplacée par l'un d'eux, qui aurait pris son apparence ?

– Non, Jack, bien sûr que non, répondis-je, rassurant. Ce type de maléfice n'existe pas, ce ne sont que des superstitions. Ne t'inquiète pas. La chaleur de son pays natal lui a fait du bien, voilà tout ! J'ai hâte de l'embrasser, on en reparlera plus tard. Où est James ?

– Il travaille. Il gagne plus d'argent avec sa forge que moi en exploitant mes terres. Mais je suis sûr qu'il trouvera du temps à consacrer à son petit frère.

Depuis les évènements de Pendle, James s'était installé à la ferme pour aider Jack, tout en continuant à exercer son métier de forgeron. Je me réjouissais d'apprendre que ses affaires marchaient bien.

Me souvenant alors des feux que j'avais vus depuis la colline du Pendu, je demandai :

– Qui sont ces gens qui campent dans la prairie ?

Jack eut un froncement de sourcils courroucé :

– Des sorcières de Pendle, figure-toi ! Une idée de maman. Dire qu'elles osent être là, à occuper *mon* champ, après ce qui s'est passé l'an dernier !... Elles n'en ont aucun droit, si tu veux mon avis.

Des sorcières de Pendle ? Elles avaient fait subir à Jack et à sa famille un véritable enfer l'année précédente ; je comprenais la colère de mon frère. Pourquoi notre mère les avait-elle autorisées à s'installer si près de la maison ?

Avec un geste d'incompréhension, je m'engageai dans la cour. Derrière la grange, face à l'arrière de la maison, j'aperçus un nouveau bâtiment : la forge. À l'extérieur, un fermier tenait par la bride un cheval attendant d'être ferré. Je faillis héler James, mais j'avais trop hâte de revoir maman.

En approchant de la maison, j'eus la surprise de découvrir les rosiers grimpants en pleine floraison. Lors de mon dernier passage, ils semblaient morts. Leurs tiges noircies avaient été à moitié arrachées du mur quand le Malin avait attaqué la ferme dans l'intention de me tuer. À présent, un réseau de branches vertes s'accrochait aux pierres, et des fleurs d'un rouge brillant s'épanouissaient au soleil.

Je m'arrêtai devant la porte de derrière et frappai. J'avais grandi dans cette demeure, mais elle n'était plus la mienne, désormais. La politesse exigeait que j'annonce mon arrivée.

– Entre, mon fils, répondit maman.

Au son de sa voix, une boule d'émotion m'obstrua la gorge. Elle m'avait tellement manqué ! Je poussai le battant, pénétrai dans la cuisine, et nous fûmes face à face.

Perchée sur un haut tabouret, elle remuait le contenu d'une marmite qui bouillonnait sur le fourneau. Comme toujours, elle avait tiré les rideaux pour se protéger du soleil. Elle sauta à terre et vint vers moi. Alors, malgré la demi-obscurité, je compris ce que Jack avait voulu dire. Oui, elle avait changé. Elle paraissait plus jeune que lors de notre dernière rencontre, dix-huit mois plus tôt. Ses hautes pommettes saillaient plus que jamais dans son visage aminci. Pas un seul fil d'argent ne striait sa chevelure noire. Elle me souriait ; pourtant, je détectai dans son regard une expression hagarde, presque sauvage.

– Oh, mon fils…, soupira-t-elle en m'envelop-
pant de ses bras. Que c'est bon de te retrouver !

La chaleur de son corps me pénétra, et j'étouffai
un sanglot.

Elle me repoussa doucement, me tint à une longueur de bras pour me contempler. Puis elle soupira :

– Assieds-toi, nous avons beaucoup à nous dire,
et il nous faut garder la tête sur les épaules.

Nous prîmes nos places habituelles, de chaque
côté de la cheminée. J'avais hâte de l'interroger
sur Alice, de savoir si elle était vraiment la fille du
Diable. Néanmoins, cette question devrait attendre.
Maman n'avait pas entrepris un tel voyage sans une
raison sérieuse.

– Comment vas-tu, Tom ? Comment se porte ton
maître ?

– Nous allons bien, maman. Et toi ? Que s'est-il
passé en Grèce ?

– Ce fut très dur…

Elle soupira de nouveau, une expression anxieuse
déforma ses traits. Je crus un instant que l'émotion
allait l'empêcher de parler. Mais elle se ressaisit et
continua sur un ton professionnel :

– Venons-en au fait : je suis allée à la Tour Malkin
et j'ai récupéré dans les malles que je t'ai données
les sacs contenant ma fortune. Je souhaitais que
cette somme te serve à défendre le Comté. Or, les

choses ont mal tourné, dans mon pays. La situation est plus que critique, là-bas. Pour financer les actions à entreprendre si nous voulons éviter un désastre irréversible, cet argent m'est absolument nécessaire. Acceptes-tu de me le rendre ?

– Bien sûr, maman ! Il t'appartient, de toute façon. C'est pour lutter contre l'Ordinn ?

– Oui, Tom. Ton maître t'a-t-il expliqué ce que nous affrontons, en Grèce ?

– Il m'a dit ne pas savoir grand-chose à propos de cette créature. Il compte beaucoup sur tes informations. Il est resté sur la colline du Pendu pour nous laisser discuter en privé ; il souhaite te parler ensuite.

– Eh bien, voilà un souhait facile à exaucer, bien que je craigne fort qu'après notre entrevue, la relation entre nous soit quelque peu tendue. Ton maître est un homme de haute moralité, très attaché à ses principes. Il se pourrait qu'il n'approuve pas mes plans. Enfin, nous verrons. C'est la meilleure solution, peut-être le comprendra-t-il. Ce qui nous amène au deuxième point dont je voulais te parler. J'ai besoin de toi, mon fils. Il faut que tu m'accompagnes là-bas, en Grèce, pour m'aider à lutter contre l'obscur. D'autres nous apporteront leur secours. Mais tu possèdes un don particulier, qui peut marquer la différence et faire basculer la situation en notre faveur. J'aurais préféré t'éviter cela ; je dois pourtant te le demander. Viendras-tu avec moi ?

Sa requête me laissa pantois. Je me devais au service du Comté, et maman m'avait elle-même destiné à devenir épouvanteur. Toutefois, comment aurais-je pu refuser ?

– Bien sûr, maman, je viendrai. Mais M. Gregory partira-t-il avec nous ? Ou devrai-je suspendre mon apprentissage quelque temps ?

– J'espère sincèrement qu'il sera du voyage. Cependant, c'est à lui d'en décider.

Curieux, je la questionnai :

– Quels sont tes plans ? À quoi va te servir ton argent ?

– Tu le sauras en temps voulu.

Comprenant qu'il était inutile de l'interroger plus avant, je changeai de sujet :

– Maman, j'ai autre chose à te demander, à propos d'Alice...

Son visage s'assombrit et, avant même d'avoir formulé ma question, je craignis le pire. Je poursuivis :

– Le Malin m'a dit qu'Alice était sa fille. Il mentait, n'est-ce pas ? Ce n'est pas vrai ?

Elle posa sur moi un regard attristé :

– Pour une fois, il ne mentait pas. Ça me chagrine de te le dire, car je connais ton affection pour cette jeune personne. Hélas ! c'est vrai. Alice est l'une des filles du Diable.

Je crus que mon cœur s'arrêtait de battre. Maman continua :

– Elle n'est pas pour autant condamnée à l'obscur. Nous avons tous une chance de rédemption. Crois-moi, Tom, Alice elle-même peut encore être sauvée.

Je compris alors qu'au fond de moi, je savais déjà la vérité. Je repris calmement :

– Depuis quand le sais-tu ?

– Depuis le premier instant où je l'ai vue. Le jour où tu l'as amenée à la ferme.

– Et tu ne m'en as rien dit ?

Elle secoua la tête en silence. Dérouté, je poursuivis :

– Ce jour-là, tu m'as expliqué qu'Alice et moi, nous étions l'espoir et l'avenir du Comté, que mon maître aurait besoin de nous à ses côtés ! Ça n'a pas de sens !

Maman se leva de son siège et vint poser les mains sur mes épaules. Me fixant droit dans les yeux avec un mélange de tendresse et de fermeté, elle déclara :

– Ce que j'ai dit ce jour-là, je le maintiens. Tu comptes beaucoup pour Alice ; ce sont ses sentiments pour toi qui la protègent de l'emprise de l'obscur.

– Il y a quelques jours, elle m'a prévenu de la présence d'une ménade dans le jardin de l'Épouvanteur. Sans elle, je serais mort.

Maman se montra aussitôt alarmée :

– Une ménade ? Je les savais conscientes de la menace que je représente… Mais je n'aurais jamais imaginé qu'elles connaissaient ton existence ni qu'elles enverraient une tueuse jusqu'au Comté. L'obscur a brouillé mes capacités de prédiction. Des choses que j'aurais dû voir m'ont été cachées, et cela au plus mauvais moment possible…

Elle semblait vraiment effrayée. J'ajoutai :

– Elle venait de Grèce. Pourtant, je ne comprenais pas un mot de ce qu'elle me criait.

– Il existe de nombreux dialectes. Et sa transe meurtrière ne devait pas arranger les choses. Il est difficile de communiquer avec une ménade, car ces créatures sont plus émotives qu'intelligentes. Elles n'écoutent que leur propre voix intérieure. Cependant, ne les sous-estime jamais. Elles sont nombreuses et d'autant plus puissantes. En tout cas, nous pouvons être reconnaissants envers Alice. Si elle accepte l'idée que sa naissance ne la destine pas forcément à devenir une pernicieuse, elle peut se révéler un formidable adversaire pour son propre père. Ensemble, elle et toi, vous avez une chance de le vaincre, au bout du compte.

– Ensemble ? Jamais M. Gregory ne l'acceptera !

– Tu as raison, je le crains. De même aura-t-il sûrement beaucoup de réticence à approuver mes projets...

Une fois de plus, elle se tut, refusant de m'en révéler davantage. Que me cachait-elle ? D'un ton presque accusateur, je lançai :

– Ces gens qui campent dans la prairie, Jack dit que ce sont des sorcières de Pendle. Ça ne peut pas être vrai !

– Pourtant, ça l'est. Nous avons besoin d'elles, Tom. Besoin de leur aide.

– Des sorcières ? Maman ! Nous n'allons pas faire alliance avec des *sorcières* ?

L'énormité de la situation me frappa soudain. Je ne prévoyais que trop bien la réaction de l'Épouvanteur.

Maman posa sur mon bras une main apaisante :

– Je savais que tu aurais du mal à comprendre, à cause de ce que John Gregory t'a enseigné. Mais, sans elles, nous n'avons aucune chance ; c'est aussi simple que ça. Or, nous devons abattre l'Ordinn. Nous n'avons pas le droit d'être vaincus. En cas de défaite, le Comté serait condamné, tout comme le reste du monde. Va, maintenant, et prie ton maître de venir. Tu nous laisseras seuls le temps que je lui parle.

Je retournai donc sur la colline du Pendu annoncer à l'Épouvanteur que maman l'attendait. Je ne lui en dis pas davantage, mais il dut lire le trouble sur mon visage car, tandis que nous descendions vers la ferme, il conserva un silence bourru.

Après l'avoir conduit jusqu'à la cuisine, je montai sur une petite butte d'où je pouvais observer le campement des sorcières. Le vent m'apportait un délicieux fumet de lapin en civet. Les gens du Comté, rationnés en nourriture, avaient tant chassé le gibier qu'il n'en restait presque plus. Nos visiteuses de Pendle devaient utiliser des méthodes bien à elles pour s'en procurer.

Je frissonnai en repensant à tout ce que j'avais vécu avec les sorcières. Je me souvenais de la fosse où Lizzie l'Osseuse m'avait emprisonné, je l'entendais encore aiguiser son couteau pour me découper vivant. Je revoyais l'affreux moment où Mab Mouldheel menaçait d'égorger la petite Mary si je ne lui remettais pas les clés des malles de maman.

Les sorcières – les *pernicieuses* – tuaient des innocents pour utiliser leur sang ou leurs ossements dans des rituels magiques. L'Ordinn devait être vraiment effroyable pour que maman ait résolu de s'allier avec ces malveillantes créatures de l'obscur. Je ne me sentais pourtant pas le droit de la blâmer. N'avais-je pas moi-même combattu aux côtés de Grimalkin pour venir à bout de Morwène et d'une horde de sorcières d'eau[2] ?

Le bruit d'une porte claquée avec violence me tira de mes réflexions. Je vis l'Épouvanteur traverser la cour à grands pas, le visage blême de fureur. Je courus à sa rencontre ; il obliqua vers la colline sans me laisser le temps de le rejoindre.

– Suis-moi, petit, aboya-t-il par-dessus son épaule.

Après avoir traversé la pâture, il s'arrêta à la barrière qui marquait la limite de nos terres et se retourna pour me fixer.

– Qu'est-ce qui ne va pas ? demandai-je, inquiet.

La discussion avec maman avait mal tourné, c'était clair.

– Ce qui ne va pas ? Rien ne va, petit ! Rien ! Tu sais ce que je pense des compromissions. On ne fait pas alliance avec des sorcières et autres créatures de cette espèce en espérant échapper à la contamination. C'est le plus sûr moyen d'être entraîné soi-même vers l'obscur. Et, s'il y a quelqu'un qui ne doit pas prendre ce genre de risque, c'est bien toi. Voilà exactement ce que le Malin attend, je te l'ai déjà dit. Tu as donc une grave décision à prendre. Réfléchis bien !

– À quoi ?

---

2. Lire *Le combat de l'Épouvanteur*.

— À la proposition de ta mère de partir en Grèce, de joindre vos forces à celles des sorcières et... hmmm... Elle te dira le reste elle-même, moi, j'en suis incapable, les mots resteraient coincés dans ma gorge. Je retourne à Chipenden. Si dans trois jours tu ne m'as pas rejoint, je saurai que tu as exaucé les vœux de ta mère. Auquel cas cela mettra un terme à ton apprentissage.

Sur ces mots, il franchit la barrière.

Je courus derrière lui :

— S'il vous plaît ! Attendez ! Discutons-en !

— Discuter ? Il n'y a rien à discuter ! Ta mère a conclu une alliance avec les sorcières de Pendle, ce qui est fait est fait. Alors, réfléchis, petit, et prends ta décision. La mienne est irrévocable.

Il se remit en route sans un regard en arrière, et je le vis disparaître entre les arbres. Avais-je bien entendu ? Il ne voudrait plus de moi pour apprenti ? Après tout ce que nous avions vécu ensemble ? J'étais choqué, blessé, furieux. Je ne méritais pas ça.

Je revins sur mes pas, traversai la cour et me dirigeai vers la porte de la cuisine. Il fallait que j'éclaircisse cette affaire.

4
Décisions

– **T**on maître l'a très mal pris, m'annonça maman dès mon entrée dans la pièce. Plus mal encore que je ne m'y attendais.

– Oui. Il est reparti à Chipenden. Et, si je ne suis pas de retour dans trois jours, ce sera la fin de mon apprentissage.

Ma mère soupira :

– C'est ce que je craignais. Mais tu as bien travaillé avec Bill Arkwright, n'est-ce pas ?

– Comment le sais-tu ?

– Disons que j'ai mes informations. Les débuts ont été difficiles, d'après ce que j'ai appris. Ensuite, les choses se sont arrangées et tu as bénéficié d'une bonne formation. Si John Gregory ne veut plus poursuivre sa tâche avec toi, tu devras t'en remettre à Bill Arkwright. D'ailleurs, je l'ai envoyé chercher, j'ai besoin de lui. J'espère qu'il acceptera de se joindre à nous. Il devrait arriver demain.

– Tu veux qu'il nous accompagne en Grèce ? Pour quoi faire ?

– C'est un bon épouvanteur, mais, surtout, il a servi dans l'armée. Sa force de caractère, son intrépidité et ses connaissances tactiques nous seront très utiles, car nous allons nous engager dans une bataille sans merci. Sa présence sera un élément vital de la lutte contre l'obscur : il accomplira plus là-bas en quelques jours qu'en soixante années au service du Comté.

L'éventuelle participation d'Arkwright était une bonne nouvelle. J'avais beaucoup progressé au cours des quelques mois passés dans son moulin, au nord de Caster. J'avais appris à nager, gagné en résistance et en habileté. Peut-être pourrais-je poursuivre mon entraînement physique avec lui. Sans les techniques qu'il m'avait enseignées, la ménade aurait probablement eu ma peau. Néanmoins, la relation avec John Gregory me manquerait. Il était mon véritable maître et un ami. Je me sentais chez moi dans sa maison de Chipenden. L'idée de ne plus être son apprenti m'attristait profondément.

Bill Arkwright, en dépit de ses qualités, ne le remplacerait jamais.

– Peux-tu m'en dire davantage sur l'Ordinn, maman ? repris-je. Qu'est-ce qui la rend si redoutable ? Qu'allons-nous affronter qui t'oblige à rassembler tant de forces pour ce combat ?

Elle inclina la tête et demeura silencieuse un long moment, comme si elle hésitait à parler. Enfin, elle s'y résolut. Me fixant dans les yeux, elle déclara :

– Le désir de sang de l'Ordinn est inextinguible. Lorsqu'elle s'introduit dans notre monde, ses troupes franchissent à sa suite le portail de son immense citadelle, l'Ord. Démons, élémentaux, vangires, ces créatures se montrent tout aussi assoiffées qu'elle. À chaque fois, des milliers d'innocents sont massacrés, des hommes, des femmes et même des enfants.

– Alors, elle est pire que le Malin...

– Non, mon fils. Le Malin est de loin le plus puissant. Seulement, il n'affiche pas sa force, il travaille à long terme. Il préfère augmenter lentement son pouvoir tandis que le mal s'insinue peu à peu dans notre monde, le transformant en un lieu de noirceur et d'affliction, jusqu'au jour où il le possédera totalement. L'Ordinn, elle, ne planifie rien. Son seul désir est de se gorger de sang et de répandre la terreur. Beaucoup de ses victimes meurent simplement de peur, et les ménades qui pullulent dans son sillage se repaissent des cadavres. Bien qu'elle soit une redoutable servante de l'obscur, l'Ordinn n'est rien, comparée au Malin. Mais elle représente la menace la plus immédiate, et c'est sur elle que nous devons concentrer nos efforts. Il faut la détruire avant qu'elle n'élargisse encore la portée de son action.

– Que veux-tu dire ?

– L'Ordinn sévit en Grèce depuis des milliers d'années. Elle se matérialise sur la plaine devant Meteora, autour de laquelle des centaines de couvents sont bâtis dans les hauteurs rocheuses. Et chacune de ses apparitions est plus dévastatrice que la précédente. Les moines défendent leurs monastères grâce à leurs prières et s'efforcent de circonscrire l'Ordinn dans les limites de cette région. Mais son pouvoir ne cesse de grandir, tandis que l'efficacité des moines diminue. Maintenant que le Malin est entré dans le monde, elle peut s'allier à lui pour affirmer davantage encore la présence de l'obscur. Sous les ordres du Malin, de plus en plus de lamias ailées se sont jointes à elle. Cette fois, il faut s'attendre à ce que l'Ordinn les envoie attaquer les moines, mal protégés derrière les murs de leurs couvents. Si leurs prières ne réussissent plus à la contenir, elle sera libre d'aller dévaster d'autres régions.

Étonné, je demandai :

– Les prières sont vraiment efficaces, maman ?

– Oui, à condition d'être récitées par des êtres au cœur pur, qui ne demandent rien pour eux-mêmes. C'est pourquoi, face à la montée de l'obscur, les moines de Meteora sont de puissants alliés de la lumière. C'est aussi pourquoi nous devons frapper avant que ces saints hommes ne soient submergés par les forces du mal.

– Et c'est là que nous allons ? Dans la plaine de Meteora ?

– Oui. L'Ord, la citadelle de l'Ordinn, se matérialise à travers un gigantesque portail au sud de Meteora, près de la petite cité de Kalambaka. Le phénomène se produit tous les sept ans, à quelques jours près. Cette année, nous devons la détruire une fois pour toutes, et à n'importe quel prix. Sinon, elle atteindra une puissance telle que, à sa prochaine apparition, aucun pays ne sera plus à l'abri. Et le Comté en premier. Je suis une vieille ennemie de l'Ordinn. Si j'échoue, elle se vengera de moi. Le Malin lui révélera que mes sept fils – ce que j'ai de plus cher au monde – vivent dans le Comté, et elle les tuera. Puis ses troupes meurtrières déferleront pour massacrer tous les êtres vivants.

À l'heure du souper, maman reprit sa place habituelle. Tandis que nous dévorions son délicieux ragoût de mouton, elle parut plus détendue, en dépit des épreuves qui nous attendaient. Je m'en souviens bien, car ce fut la dernière fois que nous nous trouvâmes rassemblés autour de la table, maman, Jack, James, Ellie, la petite Mary et moi.

Avant le repas, j'avais eu le temps de discuter un peu avec James et avec Ellie. Mon frère avait été heureux de me revoir. Ma belle-sœur s'était montrée plus réservée. La proximité des sorcières qui campaient derrière la maison expliquait son attitude. À présent, il y avait dans l'air une tension palpable, émanant principalement de Jack.

Il récita le bénédicité, et nous répondîmes *Amen*, sauf maman, qui se contenta d'attendre, les yeux fixés sur la nappe.

Cette brève prière dite, elle déclara :

— C'est une joie d'être de nouveau avec vous tous. J'aurais aimé que votre pauvre père soit là aussi. Mais nous gardons en mémoire les temps heureux.

Papa était mort l'hiver qui avait suivi mon départ en apprentissage, d'une congestion pulmonaire. Les talents de guérisseuse de maman n'avaient pas réussi à le sauver. Elle en avait été profondément peinée.

D'un ton attristé, elle poursuivit :

– Je regrette que mes autres fils n'aient pu se joindre à nous. Ils ont tous leur vie à eux, désormais, et leurs propres soucis. Ils sont dans nos pensées, et nous sommes dans les leurs, j'en suis sûre.

Puis maman entretint la conversation avec bonne humeur. Cependant, la gêne persistait, et je voyais à quel point Jack et Ellie se sentaient mal à l'aise. Il y eut un moment où, par la fenêtre ouverte, nous parvint une sorte de mélopée. Les sorcières chantaient, dans la prairie. Maman les ignora et continua de bavarder, mais la pauvre Ellie était au bord des larmes. Jack finit par se lever pour aller fermer la croisée.

James fit de son mieux pour détendre l'atmosphère en me décrivant ses projets : il envisageait toujours d'ouvrir une brasserie dans les mois à venir. Néanmoins, ce fut un repas pénible. Chacun parut soulagé, la dernière bouchée avalée, de pouvoir monter se coucher.

Je trouvai étrange de passer la nuit dans mon ancienne chambre. Comme autrefois, je tirai mon vieux fauteuil d'osier devant la fenêtre. Comme autrefois, je laissai mon regard errer – au-delà de la cour, au-delà des champs, au-delà des pâturages – sur la colline du Pendu. La lune baignait la campagne de sa lumière d'argent, et je me laissai aller à croire que le temps avait fait marche arrière, que je n'étais pas encore l'apprenti de l'Épouvanteur. Pendant un bref instant, je me persuadai que papa était toujours en vie, que maman n'avait pas quitté la maison et qu'elle prenait toujours sa part des travaux de la ferme, qu'elle était toujours la guérisseuse et la sage-femme locale.

Je fus vite rattrapé par la réalité. Ce qui était fait ne pouvait être défait, les choses ne seraient plus jamais ce qu'elles avaient été. Je me mis au lit, la poitrine serrée par un douloureux sentiment de perte et d'amertume. J'eus beaucoup de mal à trouver le sommeil.

Bill Arkwright arriva le lendemain en fin de matinée. Son énorme chien-loup, Griffe, la femelle au pelage noir, traversa la cour au galop pour me faire fête, ses deux petits, Sang et Os, bondissant à ses côtés.

Je la caressai tandis que les chiots couraient autour de nous, tout excités. Arkwright tenait son grand bâton, garni à une extrémité d'une lame redoutable. Il avançait d'un air bravache, et son crâne soigneusement rasé luisait au soleil. Quand il me vit, son visage s'illumina.

– Content de te revoir, Tom Ward ! s'exclama-t-il.

Son sourire s'effaça presque aussitôt :

– À ta mine, petit, je devine que ça ne va pas fort. Je me trompe ?

– Vous ne vous trompez pas, monsieur Arkwright, soupirai-je.

Et je le mis tout de suite au courant :

– Maman a conclu une alliance avec des sorcières de Pendle. Elle a besoin de leur appui pour combattre l'obscur dans son pays natal. Elle souhaite aussi que nous l'accompagnions en Grèce, vous, moi et M. Gregory. La seule idée d'un pacte avec des sorcières a rendu mon maître fou furieux. Il est reparti aussitôt à Chipenden en déclarant que, si je ne le rejoignais pas avant trois jours, il mettrait fin à mon apprentissage. Je me sens déchiré entre les deux...

– Je comprends ça, Tom. De même que je comprends la réaction de John. La demande de ta mère va à l'encontre de toutes ses convictions.

– Choisir entre mon maître et ma mère a été douloureux, repris-je. Pourtant, c'est à elle que je me dois. Elle m'a donné la vie, et je suis son septième fils. Elle sait quel est le meilleur chemin pour moi.

– C'est bien raisonné, Tom Ward. Mais il semble que je doive prendre à mon tour une décision importante. Une alliance avec des servantes de l'obscur, hein ? Je vais écouter les arguments de ta mère sans *a priori*. Son projet représente un vrai défi, je le reconnais. Et l'idée d'entreprendre un tel voyage a quelque chose d'excitant. Donc, pour l'instant, je ne dis ni oui ni non. Il faut parfois accepter les compromis si l'on veut s'en sortir. Sans Grimalkin, la sorcière tueuse, nous ne serions pas là, toi et moi, pour en parler...

C'était vrai. Grimalkin avait combattu à mes côtés dans les marais. Servante de l'obscur ou pas, elle m'avait sauvé la vie. Apparemment, Bill Arkwright n'avait pas les mêmes scrupules que mon maître.

Nous trouvâmes maman en compagnie de James, derrière la grange. Dès qu'elle nous vit, elle s'approcha pour saluer notre visiteur.

– Voici Bill Arkwright, lui dis-je. Il souhaite t'entendre expliquer ton plan.

Arkwright s'inclina :

– Heureux de vous connaître, madame Ward. Ce que votre fils m'a révélé m'intrigue au plus haut point. Je serai heureux d'en savoir davantage.

Maman me sourit avec douceur :

– Je souhaite converser avec M. Arkwright en privé, mon fils. Va donc te promener du côté de la prairie. Il y a là-bas quelqu'un qui sera content de te voir.

Surpris, je demandai :

– Qui ? Une sorcière ?

– Va ! Tu le sauras !

Je me demandai ce qu'elle avait de si confidentiel à dire à Arkwright. Néanmoins, j'acquiesçai et les laissai seuls.

Le campement s'étalait dans le grand champ jouxtant la propriété de notre voisin, M. Wilkinson. Les sorcières étaient rassemblées par groupes de deux ou trois autour d'une demi-douzaine de feux. Des marmites pendaient au-dessus des braises et, de nouveau, un appétissant fumet de civet me chatouilla les narines.

Un bruit de pas, derrière moi, m'alerta. Je fis volte-face et restai bouche bée. Une fille se tenait devant moi, vêtue d'une longue robe noire resserrée à la taille par une ficelle, chaussée de souliers pointus.

Alice.

5
Alice Deane

— **T**u m'as manqué, Tom, murmura Alice, les larmes aux yeux. Rien n'est pareil, sans toi.

Elle s'avança, et nous tombâmes dans les bras l'un de l'autre. Je sentis ses épaules trembler tandis qu'elle ravalait un sanglot. Un fort sentiment de culpabilité gâchait ma joie de la revoir : pendant de longs mois, sur ordre de mon maître, j'avais ignoré chacune de ses tentatives de me contacter.

— Merci d'avoir utilisé le miroir, Alice, murmurai-je. Sans ton avertissement, la ménade m'aurait tué.

— J'ai eu si peur que tu ne m'écoutes pas ! J'avais essayé de te prévenir à plusieurs reprises, mais tu te détournais chaque fois.

– J'obéissais à l'Épouvanteur…

– Tu aurais tout de même pu te servir du miroir, après ; juste pour me faire signe. J'étais folle d'inquiétude ! Quand ta mère m'a contactée pour me demander de me joindre à son entreprise, elle m'a dit qu'elle t'attendait. J'en ai déduit que tu t'en étais tiré.

Un peu honteux, je tentai de me justifier :

– Je ne pouvais pas utiliser le miroir, Alice. J'avais promis à mon maître de ne pas le faire.

– Tout est différent, maintenant, non ? Je pars pour la Grèce avec vous. Nous allons être de nouveau ensemble. Tu n'as plus à t'inquiéter des exigences du vieux Gregory. Je suis bien contente qu'il ait refusé de nous accompagner, on ne l'aura pas sans arrêt sur le dos !

– Ne parle pas de lui sur ce ton, répliquai-je, agacé. Il se fait du souci pour moi. Il craint que je me laisse entraîner vers l'obscur, que le Malin m'attire à ses côtés. S'il m'a interdit de communiquer avec toi, c'est uniquement pour me protéger. D'ailleurs, comment sais-tu qu'il ne viendra pas ? Tu nous as espionnés ?

– Oh, Tom, soupira-t-elle, quand comprendras-tu que peu de choses m'échappent ?

– Donc, tu nous as espionnés.

– Je n'en ai pas eu besoin. Il n'était pas difficile de deviner ce qui se passait : tout le monde l'a vu repartir vers Chipenden comme une furie.

En dépit de mon irritation, je me réjouis un bref instant à l'idée que, en l'absence de mon maître, rien ne m'interdirait plus la compagnie d'Alice. Une nouvelle bouffée de culpabilité me força aussitôt à repousser cette pensée.

– Ce sera bien, ce voyage, Tom, reprit-elle. Ta mère n'a pas les mêmes préjugés que le vieux Gregory. Ça ne l'ennuie pas qu'on soit amis. Et souviens-toi de ce qu'elle disait l'an dernier : ensemble, toi et moi, nous viendrons à bout du Malin.

– Ton propre père, Alice ! criai-je. J'ai percé ton secret le plus noir : Satan est ton père, n'est-ce pas ?

Elle me fixa, les yeux écarquillés de stupeur :

– Comment le sais-tu ?

– C'est lui qui me l'a dit.

Elle accusa le choc :

– Eh bien, inutile de le nier. Mais je l'ignorais jusqu'à ce qu'il me le révèle, une nuit, juste avant que le vieux Gregory me renvoie de chez lui. Son apparition m'a terrifiée. Tu imagines ce que j'ai pu ressentir en apprenant ça ? En découvrant que je lui appartenais, que j'étais promise à l'Enfer, où je brûlerais pour l'éternité ? Je me sentais si faible, en sa présence, incapable de lui tenir tête ! Heureusement, dès mon retour à Pendle, ta mère m'a contactée à l'aide d'un miroir. Elle m'a assurée que j'étais plus forte que je le croyais. Elle m'a redonné confiance. J'ai accepté la situation, et je suis prête à faire face. Je dois au moins essayer.

Je me débattais avec des émotions contradictoires. Maman et Alice avaient déjà communiqué avec les miroirs, ces dernières années. L'idée qu'elles aient continué me mettait mal à l'aise. Désignant le campement d'un geste du bras, je marmonnai :

– J'ai du mal à accepter une alliance avec des sorcières...

– Celles qui vont venir avec nous sont des ennemies jurées du Malin. Elles ont reconnu avoir commis une grave erreur en lui permettant de franchir le portail, parce que, maintenant, il tente de les asservir toutes. C'est pourquoi elles veulent se battre, lui porter un coup fatal en détruisant l'Ordinn. Elles sont une bonne vingtaine, des représentantes de chaque clan. Ta mère s'est chargée de l'organisation, et les choses se passent exactement comme elle l'a prévu. Je suis contente d'être ici avec toi, Tom, loin de Pendle.

Un an plus tôt, en enlevant Jack, Ellie et Mary, le clan Malkin s'était attaqué à la famille de ma mère. Et voilà qu'elle s'alliait avec ces créatures pour s'assurer la victoire ! C'était difficile à admettre. Et puis, il y avait Alice. Qu'avait-elle vécu, à Pendle ? Ne s'était-elle pas rapprochée de l'obscur ?

Je l'interrogeai :

– Où habitais-tu, là-bas ?

– Chez ma tante Agnès. J'évitais de fréquenter les autres, autant que faire se peut.

Agnès Sowerbutts était une Deane, vivant à l'écart du village en toute indépendance. Si elle utilisait à l'occasion un miroir pour se tenir au courant des évènements, elle était surtout guérisseuse et n'avait rien d'une pernicieuse. Dans un lieu aussi redoutable que Pendle, Alice avait logé dans la meilleure maison possible. Mais qu'entendait-elle par « les autres » ?

– Qui côtoyais-tu, en dehors d'Agnès ?

– Mab Mouldheel et ses deux sœurs venaient me voir.

– Qu'est-ce qu'elles te voulaient ?

Mab, bien qu'âgée d'une quinzaine d'années seulement, dirigeait le clan Mouldheel. Elle se montrait l'une des plus douées pour la scrutation. Elle obtenait des miroirs une claire vision du futur. C'était aussi une pernicieuse, n'hésitant pas à faire usage de sang humain.

– Elles savaient que nous partions pour la Grèce et connaissaient les raisons de ce voyage, car Mab nous avait scrutées. Elles désiraient y participer.

– Pourquoi Mab voudrait-elle détruire une des plus puissantes servantes du Malin, après avoir aidé celui-ci à entrer dans notre monde ?

– Elle s'en est mordu les doigts ; elle souhaite réparer ses torts. Souviens-toi combien elle répugnait à s'allier aux autres clans ! Elle ne s'y est résolue que parce que tu l'avais trahie et chassée de la Tour Malkin.

C'était vrai. Je l'avais trompée en libérant les sœurs de maman, les deux lamias sauvages, des malles où elles étaient enfermées. Pour se venger, Mab avait poussé son clan à se joindre aux deux autres afin d'ouvrir le portail à Satan.

De nouveau, je questionnai Alice :

– Et alors ? Elles sont ici ? Elles vont voyager avec nous ?

– Mab et ses sœurs sont en route ; elles devraient arriver bientôt.

– Les sorcières savent-elles qui est ton père ?

Alice jeta autour d'elle des coups d'œil furtifs avant de chuchoter :

– Non. Pour elles, je suis la fille d'Arthur Deane, et mieux vaut qu'elles continuent de le croire. Si elles apprenaient la vérité, elles se méfieraient de moi.

Retrouvant sa vivacité habituelle, elle lança soudain :

– As-tu faim, Tom ? J'ai mis des lapins à rôtir, ils sont presque à point.

– Non, merci, Alice.

Malgré le plaisir que me procurait sa présence, j'avais grand besoin d'être seul pour remettre mes idées en ordre.

Elle parut déçue et même un peu blessée :

– Ta mère nous a recommandé de nous tenir loin de la maison, pour ne pas troubler Jack et Ellie par notre présence. Ils n'aiment guère les sorcières, hein ? Si nous voulons être un peu ensemble, tu devras me rejoindre au campement.

– Ne t'inquiète pas, Alice, je viendrai demain soir.

– Promis ? fit-elle, dubitative.

– Promis !

– Alors, je compte sur toi. On dînera ensemble demain.

J'acquiesçai et m'apprêtai à m'en aller quand elle me retint d'un geste :

– Une dernière chose avant que tu retournes à la ferme, Tom : Grimalkin est ici. Elle sera du voyage, elle aussi. Elle souhaite te parler.

Désignant un gros chêne de l'autre côté de la prairie, elle ajouta :

– Elle t'attend là-bas. Va donc la voir tout de suite.

Je l'embrassai avant de la quitter ; c'était si bon de la serrer dans mes bras ! Puis, le cœur battant un peu plus fort, je me préparai à affronter Grimalkin. La terrible meurtrière appartenant au clan Malkin avait bien failli me tuer, l'été précédent. Pourtant, récemment, elle avait combattu les sorcières d'eau avec moi. Que me voulait-elle, à présent ?

« Autant régler ça au plus vite », pensai-je.

Je saluai Alice d'un geste de la main et me dirigeai vers le chêne. Il y avait une trouée, dans la haie d'aubépine bordant le champ. Je la franchis et me trouvai face à la sorcière qui patientait, adossée au tronc rugueux.

Comme à l'accoutumée, des lanières de cuir s'entrecroisaient autour de son corps souple. Y étaient accrochés des fourreaux contenant ses armes préférées : couteaux, crochets, et ces effroyables ciseaux capables d'entailler la chair et les os de ses victimes. Le sourire qui étirait ses lèvres peintes en noir découvrait des dents limées en pointes. Il émanait d'elle une beauté sauvage, une grâce naturelle de prédateur.

– Eh bien, petit, dit-elle, on se retrouve ! Lors de notre dernière rencontre, je t'ai promis un cadeau.

Après notre combat contre Morwène, dans les marais[1], Grimalkin m'avait appris que, passé la

---

1. Lire *L'erreur de l'Épouvanteur*.

nuit de Walpurgis, un garçon d'un clan de sorcières ayant atteint ses quatorze ans était considéré comme un homme. Or, j'avais eu quatorze ans le 3 août. « Viens me trouver à Pendle après cette fête, m'avait-elle dit. Je t'offrirai quelque chose qu'il est bon de posséder... » Bien sûr, je n'y étais pas allé. J'imaginais trop bien ce que l'Épouvanteur en aurait pensé !

– Es-tu prêt à accepter ce cadeau aujourd'hui ? reprit-elle.

Sur un ton aussi amical et poli que possible, je répondis prudemment :

– Ça dépend de ce que c'est...

Elle hocha la tête et, se décollant du tronc, fit un pas vers moi. Ses yeux me fixaient avec intensité, et je me sentais comme une souris fascinée par un serpent.

Avec un sourire, elle précisa :

– Si cela peut te rassurer, sache que ta mère est d'accord. Va le lui demander si tu en doutes.

Grimalkin ne mentait jamais, fidèle à son propre code de l'honneur. Mais j'étais de plus en plus dérouté : ma mère était donc en cheville avec les pires sorcières de Pendle ? Peu à peu, tout ce en quoi je croyais, tout ce que mon maître m'avait enseigné s'effilochait. Chacune des décisions de maman était en contradiction avec les principes de l'Épouvanteur. De nouveau, je devais prendre parti et, de nouveau, je mécontenterais l'un ou l'autre. Cette fois encore, j'estimai que les désirs de maman prévalaient et fis un bref signe d'assentiment.

– C'est une arme, petit. Tiens, prends-la...

Elle me tendit un étui de cuir muni d'une lanière. Son regard pesa sur moi tandis que j'en tirais une courte dague.

– Ça s'attache dans le dos, m'expliqua-t-elle, avec la lanière en diagonale. Tu places le fourreau derrière la nuque, pour attraper aisément la poignée par-dessus ton épaule. Cette lame porte des coups destructeurs aux plus puissantes créatures de l'obscur.

– Elle pourrait anéantir le Malin ?

Grimalkin soupira :

– Hélas, non. Si cela était, il y a longtemps que je l'aurais fait ! Mais j'ai autre chose pour toi. Approche ! N'aie pas peur, je ne mords pas !

J'avançai d'un pas, guère rassuré. Grimalkin cracha dans sa main droite, trempa son index gauche dans la salive. Puis, d'un geste vif, elle traça un cercle humide sur mon front en grommelant des paroles indistinctes. Une sensation de froid intense m'emplit le crâne tandis qu'un picotement me parcourait la colonne vertébrale.

– Voilà ! C'est à toi, maintenant.

– Qu'est-ce qui est à moi ?

– Mon deuxième cadeau, le *noir désir*. Ton maître ne t'en a jamais parlé ?

Je fis signe que non, sûr que John Gregory s'étoufferait de colère s'il apprenait que j'avais reçu un tel don d'une sorcière.

– On le nomme *noir* parce que personne, pas même le plus habile scrutateur, ne peut prédire ni quand, ni comment, ni pour quoi il sera utilisé. Il m'a fallu du temps pour créer ce sortilège. J'ai passé des années à amasser une énergie que tu peux à présent relâcher d'un coup. Il suffit de prononcer quelques mots. Aussi, tu n'y auras recours qu'en dernière extrémité, quand tous les autres moyens auront échoué. La formule commence par « je veux », suivi d'une demande claire. Tu répètes la phrase une deuxième fois. Et ton désir s'accomplit.

La simple idée de mettre en œuvre un pouvoir de ce genre me rendait malade. Grimalkin s'éloignait déjà.

– Surtout, ne gaspille pas le noir désir ! me lança-t-elle sans même se retourner. Ne t'en sers pas à la légère !

Sur cette dernière recommandation, elle franchit la trouée de la haie pour rejoindre le campement, et je repartis vers la ferme, fort troublé.

Je trouvai Arkwright dans la grange, occupé à mettre ses trois bêtes à la chaîne.

– Je n'aime pas les attacher, me dit-il, mais c'est plus prudent. Griffe a vite fait de marquer son territoire, et vos braves chiens de berger ne lui résisteraient pas longtemps si je la laissais vagabonder à sa guise.

– Avez-vous pris une décision ? demandai-je. Venez-vous avec nous en Grèce ?

– Oui, je vous accompagne, même si l'idée de laisser le nord du Comté sans protection me tourmente. À mon retour, j'aurai sûrement plus d'une sorcière d'eau à mettre au pas. Néanmoins, ta mère m'a convaincu ; c'est une femme très persuasive. Le Comté devra se débrouiller en mon absence. Pour le moment, une tâche plus urgente nous attend de l'autre côté de la mer.

Je me rendis compte, soudain, que maman ne m'avait pas donné beaucoup de détails. J'étais curieux d'en savoir plus :

– Vous a-t-elle dit quand nous partions ?

– Dans deux jours tout au plus, Tom Ward ! Nous rejoindrons le port de Sunderland par la route, là nous embarquerons. Et ne te fais pas de souci pour ton avenir, il y a plusieurs moyens d'atteindre le but qu'on s'est fixé. Si Gregory, ce vieil entêté, reste sur ses positions, tu termineras ton apprentissage avec moi. Je te reprendrai très volontiers en charge.

Je le remerciai de son aimable proposition. Mais j'avais beau apprécier Bill Arkwright, il n'était pas John Gregory. L'idée de ne pas achever ma formation auprès de mon maître me déprimait.

Je repartis vers la ferme au moment où Jack arrivait avec les vaches. C'était l'heure de la traite.

— C'est qui, ce type ? grommela-t-il. Un épouvanteur, si j'en crois son allure...

— Oui, c'est Bill Arkwright, qui travaille dans le nord du Comté. Maman l'a prié de venir.

— Je vois, fit mon frère, acerbe. Ces temps-ci, je suis le dernier à apprendre qui est invité dans ma propre ferme, dirait-on.

Au même instant, le vent nous apporta une sorte de mélopée, chantée par des voix haut perchées. Les sorcières célébraient sans doute quelque rituel. Jack eut un geste agacé du menton vers la prairie :

— Maman prétend que ces créatures sont vos alliées. Mais celles qui sont restées à Pendle ? Est-ce qu'elles ne vont pas attaquer la ferme après votre départ ? Quand nous serons seuls ici, James et moi, pour protéger ma famille ? C'est ce qu'Ellie redoute, elle est à bout de nerfs.

Je pouvais le comprendre. Ellie avait toujours pensé que mon statut d'apprenti épouvanteur les mettrait en danger. Ses pires craintes s'étaient révélées fondées. Pendant leur emprisonnement dans la Tour Malkin, elle avait perdu le bébé qu'elle attendait. Ne trouvant rien d'intelligent à dire pour réconforter mon frère, je préférai me taire.

6

Une effroyable prophétie

Ce soir-là, pour le souper, nous n'étions que trois à table, maman, James et moi. La petite Mary ayant eu mal au cœur, ses parents étaient montés à l'étage avec elle. En vérité, je soupçonnais Jack, mécontent de ce qui se passait chez lui, de se tenir volontairement à l'écart. Quant à Bill Arkwright, il avait apporté ses provisions et préférait rester dehors avec ses chiens.

Maman, d'humeur enjouée, s'efforçait d'animer la conversation, mais seul James lui donnait la réplique. Il finit par aller se coucher lui aussi, nous laissant en tête à tête.

– Qu'est-ce qui ne va pas, Tom ? m'interrogea-t-elle.

– Je ne sais plus quoi penser, maman.

– Comment ça ?

– Eh bien, les sorcières... Jack et Ellie ne supportent pas leur présence. Et, si elles n'étaient pas du voyage, l'Épouvanteur nous aurait sûrement accompagnés. Avons-nous vraiment besoin d'elles ?

– Oui, mon fils. Elles savent se battre, surtout Grimalkin. Dans la lutte sans merci qui nous attend, chaque force comptera. L'Ord est un lieu d'épouvante ; les sorcières de Pendle sont, à ma connaissance, les seules créatures capables d'y pénétrer sans peur. Elles auront un rôle primordial à jouer.

– Et les cadeaux que m'a faits Grimalkin ? insistai-je. La dague et le noir désir ? Elle a prétendu que tu étais d'accord. N'est-ce pas dangereux d'utiliser des éléments venus de l'obscur ? Tu m'as envoyé en apprentissage chez M. Gregory et, maintenant, tu m'obliges à agir en contradiction avec tout ce qu'il m'a enseigné.

Une ombre de tristesse passa dans son regard :

– Ce sera à toi de choisir si tu les utilises ou pas. Il m'arrive aussi de prendre des décisions à contre-cœur. Mais nos chances de victoire sont à ce prix, c'est tout ce que je peux te dire. Portes-tu la dague ?

– Non, elle est dans mon sac.

– Tu dois la porter, Tom. Peux-tu faire ça pour moi ?

– Oui, maman. Si c'est ce que tu veux, je le ferai.

Prenant mon visage entre ses mains, elle me fixa intensément comme pour pénétrer mon esprit de la vérité de ses paroles :

– Si nous échouons, si l'Ordinn se retrouve en liberté, soutenue par le Malin, le Comté connaîtra une effroyable détresse, qui s'étendra ensuite au reste du monde. Nous devons tout mettre en œuvre pour empêcher cela, quitte à nous salir les mains. Si seulement j'avais pu en persuader ton maître ! Nous n'avons pas le choix, mon fils. Il nous faut entreprendre ce voyage avec les sorcières de Pendle.

À partir de ce moment, cédant au désir de maman, je portai donc le fourreau contenant la lame accroché derrière ma nuque. Comment aurais-je pu refuser ? J'avais néanmoins conscience d'entrer dans la phase la plus sombre de mon existence. Jamais, depuis le début de mon apprentissage, je ne m'étais trouvé aussi proche de l'obscur.

Le lendemain, deux heures avant le coucher du soleil, je rejoignis Alice dans la prairie comme je le lui avais promis.

Elle s'était installée à l'écart, près de la haie d'aubépine qui entourait le champ. Je compris qu'elle évitait la compagnie des autres sorcières, et cela me réconforta un peu. Je n'aurais pas aimé qu'elle subisse leur influence.

Elle attisait un feu au-dessus duquel deux lapins rôtissaient, enfilés sur une broche.

– Tu as faim, Tom ?

– Une faim de loup ! Hmm, ça sent bon !

Nous mangeâmes sans parler, en échangeant des sourires. Le repas terminé, je remerciai Alice et la complimentai sur ses talents de cuisinière. Elle resta un long moment silencieuse, ce qui finit par me mettre mal à l'aise. Autrefois, nous avions toujours une histoire à nous raconter. Mais nous avions échangé toutes les nouvelles la veille, et les sujets de conversation paraissaient épuisés. Une distance inconfortable s'était créée entre nous.

Alice lança soudain :

– Le chat a mangé ta langue ?

– Il a mangé la tienne aussi, rétorquai-je.

Elle me dévisagea d'un air morose :

– Trop de choses ont changé, hein ?

C'était vrai ; plus rien ne serait comme avant, désormais. Je haussai les épaules avec fatalisme :

– Oui, tout a changé. L'Épouvanteur ne veut plus de moi comme apprenti ; maman s'est alliée avec les sorcières de Pendle, et j'ai découvert que ma seule amie était la fille de mon pire ennemi.

– Tais-toi ! gémit-elle.

– Désolé.

– Écoute, reprit-elle, si nous allons nous battre en Grèce et que nous revenions vainqueurs, ça s'arrangera. J'aurai prouvé que je n'ai rien à voir avec mon père. Le vieux Gregory devra reconnaître que ta mère a agi pour le bien du Comté. Il te reprendra auprès de lui, et tu continueras ta formation.

– Tu as sans doute raison. Mais je suis perturbé, perdu. Les enjeux sont si énormes...

– Nous avons déjà connu des jours difficiles, toi et moi, Tom. Et nous avons tenu le coup. Nous triompherons de cette nouvelle épreuve, tu ne crois pas ?

– J'en suis sûr ! affirmai-je.

Nous nous séparâmes en bons termes. Je trouvai cependant bizarre de laisser Alice dans le campement des sorcières, comme si nous appartenions à deux mondes différents. Ressentant le besoin de me dégourdir les jambes, je contournai la ferme et marchai vers la colline du Pendu. Le soleil disparaissait à l'horizon quand je traversai le champ, à la limite de nos terres.

Je distinguai alors trois silhouettes, dans l'ombre, de l'autre côté de la clôture. En m'approchant, je reconnus Mab et ses sœurs. La meneuse du clan Mouldheel me fixait, appuyée au tronc d'un arbre. Je me souvenais d'elle comme d'une jolie fille. Là, je découvrais une Mab rayonnante : ses yeux verts, son sourire, ses cheveux d'or, tout en elle resplendissait.

Je me rappelai à temps les deux sorts fréquemment utilisés par les sorcières, la séduction et la fascination. Avec le premier, elles projettent une fausse image d'elles-mêmes, qui leur confère une grande beauté. Le second leur permet d'hypnotiser un homme et de le manipuler à leur guise. Visiblement, Mab usait envers moi de ces deux artifices.

Je m'appliquai donc à lui résister en me concentrant sur les aspects les moins attirants de sa personne : sa robe élimée, ses pieds nus et crasseux.

Quand je relevai les yeux, son sourire enchanteur avait disparu et ses cheveux avaient retrouvé leur teinte d'un blond pâle un peu terne. Ses sœurs, Beth et Jennet, les jumelles, étaient assises en tailleur à ses pieds. Avec ou sans sort, elles étaient loin de posséder la séduction de leur aînée ; elles avaient un nez crochu, une face osseuse, de petits yeux méchants.

– Vous ne devez pas rester ici, Mab, dis-je. Maman veut que vous vous installiez dans la prairie, de l'autre côté de la ferme.

La jeune sorcière fit la moue :

– Tu n'es pas très aimable, Tom Ward. On voulait juste te dire bonjour. Après tout, on est du même bord, à présent, hein ? Et tu pourrais me remercier de t'avoir sauvé la vie !

Je la dévisageai, ahuri. De quoi parlait-elle ?

– Sans moi, reprit-elle, cette ménade t'aurait tué. Je l'ai vue venir, et j'ai demandé à Alice de te prévenir. Je savais que tu ne regarderais pas le miroir si c'était mon visage qui y apparaissait. J'aimerais qu'on soit de nouveau amis, c'est tout.

Nous n'avions jamais été réellement amis. Je n'avais pas oublié sa cruauté. Elle avait menacé d'égorger la petite Mary, tenté d'assassiner Alice. Voilà pourquoi la perspective de travailler avec des pernicieuses me répugnait tant. La plupart utilisaient la magie du sang et celle des ossements, qu'elles prélevaient plus volontiers sur des humains que sur des animaux.

– Dis-lui ce que tu as appris d'autre par scrutation, Mab, intervint Beth en se relevant.

Jennet sauta à son tour sur ses pieds :

– Oh oui, dis-lui ! Je voudrais voir la tête qu'il va faire !

– Je ne devrais peut-être pas..., fit Mab. Le pauvre garçon va être si chagriné ! Enfin, sans doute moins qu'il l'aurait été autrefois. Vous n'êtes plus si proches, Alice et toi, n'est-ce pas, Tom ? Moi, je pourrais être ton amie, une amie comme tu n'en as jamais eu. Je pourrais...

Je l'interrompis :

– Qu'as-tu vu ?

Mab avait déjà prouvé ses capacités de lire l'avenir dans un miroir. À l'idée que ses visions puissent concerner Alice, une angoisse me saisit.

Une lueur de contentement dans les yeux, elle répondit :

– J'ai vu Alice Deane mourir dans les ténèbres. Une lamia sauvage la tenait dans sa gueule ; elle la traînait dans son repaire et la vidait de son sang.

– Tu mens ! criai-je.

Mais une poigne glacée s'était refermée sur mon cœur. Certaines prédictions de Mab s'étaient révélées exactes ; qu'un tel destin attende Alice était une pensée insupportable.

– Pourquoi mentirais-je, Tom ? C'est la vérité. Tu le vérifieras bientôt. J'ai fait cette scrutation il y a deux jours, et j'ai utilisé du sang frais. Du sang jeune, de surcroît. Je ne me trompe que rarement, dans ces conditions. Ça se passera en Grèce, quand on se dirigera vers l'Ord. Préviens-la, si tu veux, mais ça n'y changera rien.

– Tu ne nous accompagneras pas en Grèce, grondai-je. Pas question que tu t'approches d'Alice ! Je vais en parler à ma mère.

– Oh, ta mère ne me renverra pas. Ses dons pour scruter l'avenir s'affaiblissent ; les miens sont plus forts que jamais. Elle en a besoin pour prévoir ce que feront les ménades. Tu ne te débarrasseras pas de moi si facilement !

Sans ajouter un mot, je tournai le dos aux trois sorcières et courus vers la ferme, bouillant de colère. La voix haineuse et stridente de Mab me poursuivit jusqu'au bout du champ :

– Tu vas passer un très mauvais été, Tom Ward ! Des choses terribles vont arriver. Tu n'auras jamais connu autant de malheurs ! Jamais !

7

Le début du voyage

Vint enfin le jour du départ vers Sunderland, d'où nous embarquerions pour la Grèce. Cinq chariots de location transportaient notre matériel et nos provisions. L'un d'eux était recouvert d'une toile épaisse pour protéger maman du soleil.

La veille, les sorcières de Pendle s'étaient mises en route à pied. Mab et ses sœurs complétaient un contingent de sept Mouldheel. On comptait également neuf Deane et onze représentantes des Malkin, dont Grimalkin. Alice voyageait avec elles. Nous n'avions même pas trouvé l'occasion de nous dire au revoir.

Les adieux avec Jack, Ellie et James furent brefs et tristes. Jack serra maman dans ses bras et, quand ils se séparèrent, il avait les larmes aux yeux. Au moment où maman montait dans son chariot, je remarquai qu'elle aussi avait les joues humides. Cela ressemblait par trop à une séparation définitive. Je m'efforçais en vain de chasser cette pensée, mais j'avais la quasi-certitude qu'ils ne se reverraient pas.

Je me souvenais aussi de ma dernière conversation avec l'Épouvanteur. Je quittais le Comté pour une terre étrangère où j'affronterais de terribles dangers. Peut-être ne le reverrais-je pas non plus. Je regrettais de ne pas avoir pu le remercier de son enseignement et de ses conseils.

Le voyage se déroula sans incident. À notre arrivée à Sunderland, nous découvrîmes un port grouillant d'activité. La baie n'était pas assez profonde pour permettre aux gros bâtiments d'accoster, et un beau trois-mâts, *La Céleste*, était à l'ancre dans l'estuaire de la rivière. Nous allions traverser l'océan sur l'un des navires marchands les plus rapides du Comté.

– Tu comprends pourquoi j'avais besoin d'argent ? me dit maman. Affréter un tel navire et rassembler un équipage acceptant des passagères aussi... particulières, cela coûte cher.

Dans le soleil déclinant, des chaloupes allaient et venaient, transportant notre matériel du rivage au bateau. J'observais non sans inquiétude les eaux agitées par la brise du soir.

Un aboiement joyeux me tira de ma contemplation : Griffe et ses deux chiots galopaient vers moi, suivis de Bill Arkwright.

– Beau temps pour voyager, Tom Ward ! me lança-t-il. Il y a de la houle, et ce sera pire au large. Mais tu auras vite le pied marin, j'en suis sûr.

J'opinai de la tête tout en cherchant Alice des yeux. Mêlée à un groupe de sorcières, elle paraissait aussi nerveuse que moi. Elle capta mon regard et me fit un petit signe de la main.

Les sorcières fixaient la surface mouvante de l'océan. S'il ne formait pas pour elles une barrière infranchissable comme l'eau courante d'une rivière, sa teneur en sel représentait un vrai danger. Que l'une d'elles tombe à la mer, elle mourrait. L'écume et les embruns suffiraient à les brûler, aussi avaient-elles enfilé des gants et des jambières. Les Mouldheel, qui marchaient habituellement pieds nus, étaient chaussées de galoches à semelles de bois. Et toutes portaient des cagoules de cuir ne laissant que de petites ouvertures pour les yeux, le nez et la bouche. Malgré ces protections, il y avait fort à parier qu'elles resteraient réfugiées dans la cale le temps du voyage. Les hommes d'équipage, bien que prévenus de leur présence, leur lançaient au passage des regards méfiants, et les curieux gardaient prudemment leurs distances.

Deux grosses barques maniées par des rameurs firent la navette pour nous conduire à bord par petits groupes. Maman monta dans la première en compagnie du capitaine de *La Céleste*. Puis ce fut le tour des sorcières. Leurs cris perçants, lorsque l'eau les éclaboussait, se perdirent peu à peu dans le lointain. Alice, qui ne les avait pas accompagnées, s'approcha de moi presque timidement :

– Ça t'ennuie si on part ensemble ?

– Bien sûr que non !

Nous partageâmes donc la dernière embarcation en compagnie de Bill Arkwright et des trois chiens. Les bêtes, surexcitées, ne tenaient pas en place. Leur maître dut donner de la voix pour persuader Griffe de se coucher à ses pieds. La houle nous secouait de façon inquiétante ; par chance, la traversée ne prit que quelques minutes. Escalader l'échelle de corde jusqu'au pont du navire fut un jeu d'enfant. Quant aux chiens, on les hissa à bord dans un panier.

Maman était près du grand mât en compagnie d'un grand rougeaud doté de favoris impressionnants. Souriante, elle me fit signe de la rejoindre.

– Je te présente le capitaine Baines, dit-elle, le meilleur marin du Comté !

– Il est vrai que je suis natif du Comté, fit-il. Et j'étais plus jeune que toi, petit, lorsque j'ai commencé à naviguer. Quant à être le meilleur, d'autres pourraient me disputer ce titre. Les bons loups de mer ne manquent pas, dans le pays.

– Vous êtes trop modeste, protesta maman. Et il est impoli de contredire une dame.

– Acceptez mes excuses, madame, dit le capitaine en s'inclinant.

S'adressant de nouveau à moi, il poursuivit :

– J'ai une grande dette envers ta mère. Mes deux fils, des jumeaux, viennent d'avoir cinq ans. Sans elle, ils seraient morts ; et mon épouse aussi, probablement. Il n'y a pas dans tout le Comté de sage-femme aussi habile qu'elle !

C'était vrai. Au temps où elle vivait avec nous, maman avait pratiqué de nombreux accouchements. Elle savait s'y prendre quand le bébé se présentait mal, et bien des femmes du pays lui devaient la vie.

– Mais je néglige mes devoirs, reprit le capitaine. Puis-je vous inviter à visiter mon bateau ? Il sera votre demeure pendant plusieurs semaines ; il est juste que vous sachiez où vous avez mis les pieds !

Il nous mena donc de la poupe à la proue et du pont supérieur à la soute, nous montrant même les cuisines et les réserves. Vu du rivage, le bâtiment m'avait semblé de belle taille. Une fois à bord, il se révélait bien petit pour accueillir un aussi grand nombre de passagers. Les quartiers de l'équipage, situés à l'avant, me parurent même minuscules. Mais le capitaine précisa que ses hommes n'y dormaient jamais en même temps. Il y avait trois tours de garde, si bien qu'un tiers des marins était à tout moment en activité. Les sorcières étaient logées à l'arrière. Il y avait également trois cabines. La première était celle du capitaine, je partagerais la deuxième avec Bill Arkwright, la troisième était réservée à maman.

C'était une pièce minuscule, mais confortable, contenant un lit, un fauteuil, une table et deux chaises à haut dossier. Les meubles étaient fixés au sol pour ne pas être chahutés en cas de tempête. Le hublot ne laissant filtrer qu'une lumière parcimonieuse, le capitaine alluma une lanterne.

– J'espère que cela vous conviendra, madame Ward, dit-il. À présent, excusez-moi, le devoir m'attend. Nous n'allons pas tarder à lever l'ancre.

Maman le remercia d'un sourire :

– Ce sera parfait, capitaine.

Curieux d'assister aux manœuvres, je suivis le capitaine sur le pont. La marée était haute, le vent avait fraîchi, l'air sentait l'iode et le goudron.

Bientôt, on largua les voiles ; dans un grand claquement de toile, *La Céleste* frémit et s'éloigna lentement de la côte avec un léger roulis. Arkwright et Alice vinrent s'accouder près de moi au bastingage. Le soleil s'enfonçait à l'horizon, la soirée était claire. On apercevait, loin au nord, Cartmel et la montagne du Vieux Bonhomme.

– On a passé de durs moments, là-bas, fit remarquer Alice.

Bill et moi acquiesçâmes. Arkwright avait bien failli y laisser la vie, et Croc, son berger allemand, le compagnon de Griffe, avait été tué par Morwène, la sorcière d'eau[1].

Je supportais mieux le roulis que je ne l'avais craint. Toutefois, nous étions encore dans la baie de Morecambe, relativement abritée des vents. Quand nous franchîmes l'estuaire de la Myre, je distinguai, droit devant, une ligne d'écume blanche. Au-delà, c'était le grand large. Presque aussitôt, le bateau commença à tanguer, et mon estomac à se contracter. Dix minutes plus tard, je m'étais débarrassé de son contenu par-dessus bord.

– Ça prend combien de temps d'avoir le pied marin ? demandai-je à Arkwright en reprenant mon souffle.

---

1. Lire *L'erreur de l'Épouvanteur*.

Il eut un sourire moqueur :

– Parfois des heures, parfois des jours. Il y a même de pauvres gars qui n'y parviennent jamais. Espérons que tu feras partie des chanceux, Tom Ward !

Alice se pencha vers moi :

– Je retourne au pont inférieur, Tom. Les marins n'aiment pas voir des femmes sur leur navire, ils pensent que ça porte malheur. Mieux vaut que je ne me montre pas trop.

– Reste, Alice, dis-je. C'est maman qui a affrété ce bâtiment, ils devront en prendre leur parti.

Comme elle insistait, je descendis avec elle. Mais les sorcières ne supportaient pas la houle mieux que moi. En bas, l'odeur de vomi était telle que je battis rapidement en retraite et remontai respirer l'air frais. Cette nuit-là, je suivis le conseil d'Arkwright : je dormis dans un hamac, sous les étoiles, tandis que nous descendions vers le sud en longeant la côte. À l'aube, je me sentais déjà nettement mieux, même si je n'étais pas encore un loup de mer aguerri. Les marins n'avaient pas le loisir de s'occuper de leurs passagers et se comportaient comme si nous n'existions pas. Je les regardais grimper dans les haubans, se percher en haut des mâts, malgré les secousses que la houle imposait au navire. Et je les admirais d'accomplir sans peur leurs périlleuses tâches.

Arkwright s'y connaissait un peu en navigation, car il avait pas mal bourlingué au temps où il était dans l'armée. Il me précisa que la partie gauche du bateau s'appelait bâbord, et la partie droite, tribord. Il me désigna les voiles : la misaine et le perroquet, la brigantine et le cacatois. Mon père, qui avait été marin, m'avait appris ces termes. Néanmoins, j'écoutai poliment : papa m'avait aussi enseigné les bonnes manières.

– Le plus souvent, m'expliqua Arkwright, on donne aux bateaux des noms féminins. Celui-ci, par exemple, s'appelle *La Céleste*. Mais, en pleine tempête, aussi céleste soit-il, il ne pardonnerait pas une mauvaise manœuvre à son capitaine. Imagine des vagues aussi hautes qu'une cathédrale, capables de retourner et d'engloutir le plus fier navire ! Chaque année, des bâtiments sombrent corps et biens avec leurs équipages. C'est un rude métier que celui de marin ; par certains côtés, il ressemble au métier d'épouvanteur.

Nous venions de nous ancrer dans l'embouchure d'un gros cours d'eau, le Mersey, et nous attendions la marée. Nous n'avions pas encore laissé le Comté derrière nous. Nous devions faire une dernière et brève escale à Liverpool pour y prendre des vivres supplémentaires.

Contrairement à celui de Sunderland, le port de Liverpool était équipé d'un large quai en bois, où *La Céleste* put s'amarrer. Nous en profitâmes pour nous dégourdir les jambes, sauf les sorcières, qui restèrent confinées dans la cale. Dès que j'eus mis le pied sur les planches, je ressentis une curieuse impression. Alors que je foulais un sol ferme, il me semblait que celui-ci se dérobait sous mes semelles.

Les dockers chargèrent nos ballots en hâte, car nous devions repartir avec la même marée. Sinon, il aurait fallu patienter jusqu'à la tombée de la nuit.

De retour à bord, tandis que l'équipage larguait les amarres, je rejoignis maman à l'ombre du grand mât. S'abritant les yeux de sa main, elle surveillait le quai comme si elle s'attendait à voir surgir quelque chose. Soudain, un sourire illumina son visage. Je suivis son regard et distinguai une silhouette qui courait vers nous. Stupéfait, je reconnus mon maître, son grand manteau voltigeant derrière lui.

Mais la passerelle avait déjà été retirée, *La Céleste* quittait le quai. L'Épouvanteur lança son sac et son bâton dans notre direction. Ils atterrirent sur le pont, et je m'en emparai aussitôt. L'espace entre le quai et le bateau s'élargissait à chaque seconde. Maman se pencha et, d'un geste, encouragea mon maître.

Il recula, prit son élan et fonça. Je cessai de respirer. C'était un saut impossible !

Or, il le réussit. Ses bottes sonnèrent à l'extrême bord du pont. Il vacilla, manqua de dégringoler en arrière. Maman l'agrippa par le poignet et le tira en sûreté. Il la remercia d'une inclinaison de tête avant de marcher vers moi. Je crus qu'il voulait me parler, mais il reprit simplement son sac et son bâton. Puis il s'engagea dans une écoutille et descendit vers le pont inférieur sans m'avoir adressé un mot.

– Je suis heureux que vous veniez avec nous ! lui lançai-je.

Il ne daigna même pas se retourner.

– Tu crois qu'il est en colère contre moi, maman ? demandai-je.

– En colère contre lui-même, surtout, estima-t-elle. Laisse-lui un peu de temps. Pour le moment, il ne souhaite plus être ton maître.

– Pour le moment ? Tu veux dire qu'un jour ou l'autre, il me reprendra comme apprenti ?

– Peut-être. Peut-être pas.

Le silence tomba entre nous, et nous n'entendîmes plus que les matelots qui s'interpellaient, tandis que *La Céleste* sortait lentement de l'estuaire et voguait vers la haute mer.

La houle nous secouait de nouveau, les mouettes suivaient notre sillage avec des cris perçants. Je repris :

– Pourquoi a-t-il changé d'avis, selon toi ?

– John Gregory est un honnête homme, qui place toujours son devoir avant ses désirs personnels. C'est ce qu'il vient de faire. Il a estimé que, en de telles circonstances, la tâche à accomplir était plus importante que ses convictions. Pour quelqu'un d'aussi attaché à ses principes, c'est un dur sacrifice.

Ce beau raisonnement ne m'avait pas totalement convaincu. Selon l'Épouvanteur, aucune alliance avec des créatures de l'obscur n'était envisageable. Jamais. Quelque chose d'autre l'avait décidé, j'en étais persuadé.

8

De charmantes dames

L es jours passaient. Nous naviguions toujours vers le sud, gardant la côte en vue. Le ciel restait ensoleillé, un bon vent gonflait les voiles. Une seule fois, le gros temps nous obligea à nous abriter dans un port. Puis, alors que nous nous éloignions des falaises du Comté, le tonnerre roula au loin.

– Un orage ? demandai-je.

Bill Arkwright fronça les sourcils :

– Non, c'est le bruit du canon. Une pièce de dix-huit, si je ne m'abuse. Une bataille se déroule près de la côte. Espérons qu'elle sera à l'avantage de nos troupes.

Les envahisseurs venaient de pays situés à l'est et au sud-est de notre île. C'était étrange de se trouver en même temps si près et si loin du front.

Au milieu de l'océan, nous essuyâmes une violente tempête. Le tonnerre explosait au-dessus de nos têtes, des éclairs fourchus sillonnaient le ciel. Le bateau roulait et tanguait sur une mer écumeuse. Je nous voyais déjà sombrant corps et biens, et je n'étais sûrement pas le seul. Cependant, le capitaine et son équipage surent faire face aux éléments et nous amener sans dommage vers des eaux plus calmes.

Il commençait à faire chaud. Enfin, par un détroit que maman appela les Colonnes d'Héraclès, nous débouchâmes en Méditerranée, une vaste mer intérieure.

– Héraclès était un héros grec, n'est-ce pas ? demandai-je.

– Oui, un homme d'une force colossale. Regarde cet énorme rocher, à bâbord. On l'appelle le rocher de Gibraltar. Héraclès l'a soulevé et l'a jeté ici. C'est l'une des deux colonnes.

Je ris. Il aurait fallu être un géant pour accomplir un tel tour de force.

Maman me gronda gentiment :

– Ne ris pas, mon fils. La Grèce regorge d'histoires extraordinaires, et tu ne saurais imaginer combien d'entre elles sont vraies.

– Un homme aurait soulevé un rocher pareil ?
Non, impossible !

Pour toute réponse, elle m'adressa un sourire énigmatique. Puis elle me fit signe de la suivre. Cela m'intrigua, car elle ne m'avait pas encore invité dans sa cabine. Avait-elle un secret à me confier ?

La petite pièce était obscure. Maman alluma une lanterne, qu'elle plaça au milieu de la table. Elle me désigna un siège, s'assit en face de moi et déclara :

– Il est temps que je t'en dise un peu plus sur ce qui nous attend.

– Merci. Cela me perturbait d'être si peu informé.

– Je sais, Tom. Mais il y a bien des choses que j'ignore moi-même, j'en ai peur. Je crains que l'Ordinn n'ait franchi le portail avant même notre arrivée. Je te l'ai déjà expliqué : son surgissement a lieu tous les sept ans, mais pas à date fixe.

– On n'a aucun moyen de le prévoir ?

– Pas de façon exacte. Toutefois, à l'approche de ce moment, certains phénomènes se produisent, des signes avant-coureurs, toujours les mêmes : d'abord, les bêtes s'enfuient. Le ciel prend alors une vilaine teinte jaune, et des tourbillons se forment à l'endroit où le portail doit s'ouvrir. Cette année, trois jours et trois heures après ces manifestations, ou bien l'Ordinn sera détruite ou bien nous serons tous morts.

Tant de choses dépendaient de l'issue de notre combat ! Cette simple idée me glaçait.

– Avons-nous vraiment une chance de succès, maman ?

– Oui, mon fils. Mais la lutte sera serrée. Dès son apparition sur la plaine de Kalambaka, l'Ordinn n'aura qu'un but : ravager la ville, massacrer ses habitants et s'abreuver de leur sang.

– Pourquoi continuent-ils de vivre dans cette cité, si une telle calamité s'abat sur eux tous les sept ans ?

– C'est ici qu'ils ont leur foyer, et ils sont pauvres. On trouve partout dans le monde des villages bâtis au pied d'un volcan, sur des terres fréquemment ravagées par les tremblements de terre ou les inondations. Les gens n'ont pas toujours le choix. À Kalambaka, ils savent à peu près quand le danger va survenir, ce qui leur laisse le temps de fuir. Nous allons emprunter des routes encombrées de réfugiés. Certains, hélas ! partent trop tard ; d'autres sont trop vieux ou trop malades pour voyager. Et, cette année, l'Ordinn verra son pouvoir considérablement augmenté grâce au soutien du Malin ; les moines eux-mêmes ne seront pas en sûreté dans leurs monastères. L'attaque se fera par la terre et par les airs. Les hauteurs de Meteora ne forment pas un obstacle pour les vangires, ces lamias ailées. Le Malin en a fourni des contingents importants, qui combattront aux côtés de l'Ordinn. Mes sœurs, du moins, n'en feront pas partie ; il est leur ennemi autant que le nôtre.

Malgré ces perspectives effrayantes, j'étais empli de curiosité :

– Que se passe-t-il quand le portail s'ouvre ? Tu as déjà assisté à ce phénomène ?

– Une fois. Une seule fois, il y a bien longtemps, avant ma rencontre avec ton père. Je ne l'ai jamais oublié. D'abord, une colonne de feu, d'une circonférence inimaginable, s'élève du sol et monte jusqu'aux nuages, qui tournent au noir d'orage. Elle s'éteint peu à peu pour révéler l'Ord, qu'elle contenait. Des pluies torrentielles s'abattent alors et refroidissent les pierres de la citadelle. C'est à ce moment que nous y pénétrerons. Toutes les créatures de l'obscur s'apprêtant à franchir le portail ont besoin d'un peu de temps pour s'acclimater au monde extérieur et rassembler leurs forces. Souviens-toi : c'est ce qui s'est passé avec le Malin l'été dernier.

J'opinai de la tête. Alors que Satan était à mes trousses, ce délai m'avait permis de fuir Pendle et de me réfugier dans la pièce protégée que maman m'avait préparée, à la ferme.

— Nous devrons mettre cet avantage à profit, reprit-elle. Pour avoir une chance de réussir, il nous faudra pénétrer au cœur de l'Ord, détruire l'Ordinn et ses troupes avant qu'elles aient recouvré tous leurs pouvoirs. Il n'y a pas d'autre moyen.

Au fil des jours, l'indifférence affichée par l'équipage envers les passagères insolites tournait peu à peu à l'hostilité. La peur et la méfiance s'installaient. Une nuit, un des hommes de quart avait disparu. Cela s'était passé en pleine tempête ; il avait probablement été emporté par une lame. Néanmoins, les marins soupçonnaient les sorcières de l'avoir tué pour étancher leur soif de sang. L'ambiance à bord devenait pénible ; nous avions tous hâte d'arriver à destination.

Fidèle à ses principes, l'Épouvanteur avait cessé de me dispenser son enseignement ; c'est à peine s'il m'adressait la parole. Quant à Alice, il ne lui accordait pas un regard. S'il nous voyait bavarder sur le pont, il claquait de la langue d'un air désapprobateur et s'éloignait aussitôt.

Ce fut donc Arkwright qui se chargea de reprendre ma formation, se concentrant sur l'entraînement physique comme au moulin. Le combat au bâton sur un plancher soumis au roulis et au tangage était une expérience nouvelle pour nous deux.

À mesure que nous approchions de la Grèce, la chaleur augmentait. La nuit, l'Épouvanteur s'installait sur le pont pour dormir, fuyant la moiteur étouffante de la cale. Au bout d'un moment, il se remit à me parler. Cela débuta par un signe de tête et une ébauche de sourire. Peu après, nous avions retrouvé le rythme de nos leçons quotidiennes, si bien que je profitai d'une double formation.

– Prends ton cahier, petit, me dit-il par une belle soirée sans nuages, alors que nous traversions le détroit d'Otrante.

Quand je fus prêt, il commença :

– À Chipenden, je t'avais promis de t'en dire davantage sur les élémentaux ardents. Ces créatures de feu n'existent pas chez nous, sans doute à cause de l'humidité : même en été, il se passe rarement une semaine sans que nous soyons gratifiés d'une bonne averse. Le climat chaud et sec de la Grèce leur permet de prospérer. Ce sont des êtres particulièrement redoutables, prenant généralement la forme de sphères incandescentes, transparentes ou opaques. Note bien tout ce que je te dis, car nous aurons à les affronter ; ils surgiront par le portail en même temps que l'Ordinn.

Je plongeai ma plume dans l'encre et me dépêchai d'écrire. J'aurais bientôt grand besoin de ce nouveau savoir.

– En règle générale, continua mon maître, les opaques sont les plus brûlants et les plus dangereux. Dans un espace fermé, ils flottent près du plafond. Leur attaque est fulgurante et presque impossible à esquiver. Leur contact inflige de sévères brûlures, souvent mortelles. On en a même vu certains réduire leur victime en cendres presque instantanément. D'autres, appelés asters, sont munis de cinq tentacules ; leur forme évoque une étoile de mer. Ils grimpent le long des parois, rampent au plafond et se laissent tomber sur ta tête sans crier gare. Dès qu'ils t'ont touché, tu peux te considérer comme mort. Voilà pour les mauvaises nouvelles. Néanmoins, s'il est notoirement difficile de se défendre contre ces créatures, une pièce de métal contenant un pourcentage correct d'argent peut les faire imploser. La lame de notre bâton est particulièrement efficace. D'autre part, l'humidité affaiblit un élémental ardent, qui se met en état d'hibernation jusqu'à ce que la sécheresse revienne. En cas d'attaque, l'eau offre donc un bon refuge.

L'Épouvanteur marqua une pause pour me laisser le temps de noter. Quand j'eus terminé, ma curiosité l'emporta sur la prudence. Je n'étais pas sûr qu'il me réponde, mais je posai tout de même la question :

– Monsieur Gregory, qu'est-ce qui vous a finalement décidé à nous accompagner ?

Il me foudroya du regard. Puis son visage s'assombrit et, lorsqu'il parla, ce fut d'une voix triste et résignée :

– Ta mère m'a écrit. Elle m'a révélé des choses que j'aurais préféré ignorer, que je me refusais même à croire. Après avoir lu sa lettre, j'ai longuement débattu avec ma conscience ; si longuement que j'ai failli partir trop tard.

J'aurais voulu en savoir davantage mais, avant que j'aie pu ouvrir la bouche, un cri tomba du nid-de-pie. Nous nous levâmes ensemble pour regarder à tribord. La vigie nous annonçait-elle que la terre était en vue ?

Or, il s'agissait d'autre chose. Les matelots s'étaient déjà élancés dans les gréements pour mettre au vent jusqu'aux plus petites pièces de toile : un grand navire avait été repéré à l'ouest, surgissant de l'horizon dans les lueurs du couchant. *La Céleste* était rapide, pourtant, ce bâtiment la gagnait de vitesse, toutes voiles déployées. Des voiles noires.

L'équipage travaillait avec fièvre, mais l'autre navire se rapprochait irrémédiablement.

Le capitaine l'examina un moment à l'aide d'une longue-vue. Il déclara alors, en malmenant du doigt ses épais favoris :

– Des pirates. On n'a aucune chance de les distancer avant la nuit. Et, s'il faut se battre, on ne fera pas le poids.

Les flancs du vaisseau pirate étaient hérissés de canons alors que nous n'en avions que quatre, deux à bâbord et deux à tribord.

Le capitaine avait à peine fini de parler qu'un premier boulet frappait l'eau tout près de nous, envoyant dans les airs une gerbe d'écume. Les flibustiers n'auraient aucun mal à nous envoyer par le fond.

Bill Arkwright déclara alors tranquillement :

– La situation n'est pas aussi tragique que vous le pensez, capitaine. Ne répliquez pas, nous ne gagnerions pas une bataille à coups de canon. Mais on n'en arrivera pas là. Ils n'ont pas l'intention de nous couler ; ce qu'ils veulent, c'est s'emparer de *La Céleste*, nous couper la gorge et nous jeter en pâture aux poissons. Seulement, en nous abordant, ils pourraient avoir une mauvaise surprise...

Avec un sourire sinistre, il m'ordonna :

– Descends à la cale, Tom Ward. Et informe les charmantes dames, en bas, de la situation.

Je me précipitai aussitôt vers l'écoutille. Je trouvai Grimalkin, assise sur une marche, occupée à aiguiser un de ses couteaux.

– Cela fait plusieurs heures que Mab surveille l'approche de ces écumeurs des mers, m'apprit-elle. Pour parler franc, nous attendons la bataille avec satisfaction. Voilà trop longtemps que nous sommes enfermées ; mes sœurs ont soif de sang.

J'aperçus un peu plus bas quelques sorcières, dont les yeux brillaient dans la pénombre. Elles se pourléchaient d'avance. Leurs ongles taillés en pointe, leurs lames affûtées, elles se préparaient avec avidité à déchirer de la chair humaine.

De retour sur le pont, je trouvai les deux épouvanteurs côte à côte, se préparant au combat. Arkwright était toujours disposé à faire éclater des crânes ; l'imminence de l'action le réjouissait visiblement. Je libérai la lame rétractable de mon bâton et les rejoignis. John Gregory m'adressa un signe de tête approbateur, tandis que Bill m'envoyait une bourrade d'encouragement.

Le capitaine et une bonne partie des hommes d'équipage s'étaient alignés entre les mâts, armés de matraques. On devinait cependant qu'ils n'avaient guère envie d'en découdre. Le soutien des sorcières de Pendle ne serait pas de trop.

Malgré la peur et l'excitation qui me desséchaient la bouche, j'étais déterminé à me battre de mon mieux. Une main ferme se posa soudain sur mon épaule. C'était maman.

— Non, mon fils, dit-elle en m'entraînant à l'écart. Ne te mêle pas de ça. Tu pourrais être blessé, et on aura trop besoin de toi, en Grèce.

J'eus beau protester, elle ne voulut rien entendre. Je trouvais injuste de laisser les autres prendre tous les risques. Je détestais être protégé comme ça. Mais, tenu d'obéir à ma mère, je restai à côté d'elle, remâchant ma frustration et ma colère.

L'attaque ne se fit pas attendre. Le grand vaisseau nous aborda, son équipage lança les grappins ; les flancs des deux bâtiments grincèrent horriblement en se frottant l'un contre l'autre. Des pirates arpentaient le pont de leur navire d'un pas fanfaron. Avec leurs couteaux, leurs épées, leurs gourdins garnis de pointes, ils avaient une allure féroce. D'autres nous observaient, perchés dans les gréements comme des vautours. On ne pouvait espérer d'eux aucune pitié ; à leurs yeux, nous étions déjà de la viande morte.

Or, avant que le premier pirate ait sauté sur notre pont, les sorcières surgirent de la cale, menées par Grimalkin. Elles salivaient d'avance, sous leurs capuchons de cuir, à l'idée du festin qui s'offrait ; elles poussaient des aboiements aigus de chiens de chasse avant la curée. La plus effrayante était Grimalkin : une lame dans chaque main, elle entraîna la troupe sanguinaire pour établir une ligne de défense. Alice était parmi elles, aussi farouche, aussi résolue que les autres.

Le capitaine pirate, un type énorme armé d'un coutelas, fut le premier à franchir le bastingage. Il fut aussi le premier à mourir. Grimalkin lui lança une de ses lames à la gorge. Il eut un air étonné ; son coutelas lui glissa des doigts. L'instant d'après, son corps sans vie s'écroulait sur le pont avec un bruit sourd. Ses hommes se lancèrent aussitôt à l'abordage, et la bataille s'engagea.

Les deux épouvanteurs étaient postés à l'arrière, le bâton levé. Ils n'eurent pas un grand rôle à jouer, pas plus que le capitaine et ses hommes. Seule une brève partie de l'action se déroula sur notre pont. Après une brève et furieuse escarmouche avec les sorcières, les pirates encore valides battirent en retraite vers leur navire. Face à des adversaires aussi inattendus, et après la mort de leur capitaine, ils auraient sûrement préféré prendre le large et nous canonner de loin. Mais leurs harpons les retenaient à nous. Avant qu'ils aient pu couper les filins et séparer les deux bateaux, les sorcières étaient montées à l'assaut. Avec des hurlements de bêtes affamées, elles envahirent le bâtiment ennemi.

Ce fut un massacre. Les sorcières poursuivaient les pirates dans tous les coins, sur les gréements et jusque dans la cale. Ceux qui osaient encore combattre ne résistaient que quelques secondes avant que leur sang ne teinte les planches du pont. Je m'efforçai de suivre Alice des yeux, dans ce carnage, l'estomac contracté par l'anxiété. Le soleil ayant disparu, la lumière baissait rapidement, et je la perdis de vue.

Si l'obscurité nous épargnait à présent l'horreur du spectacle, nous entendions toujours les cris d'agonie des pirates et leurs vaines supplications.

Maman et moi, nous rejoignîmes les deux épouvanteurs. John Gregory gronda, le regard dur :

– Je n'aime guère rester à l'écart pendant que de telles choses se passent.

Je devinai que ces paroles s'adressaient à maman, qui avait choisi des sorcières pour alliées. Toutefois, elle ne répliqua rien.

La voix d'Arkwright s'éleva alors :

– C'est une sale affaire, je vous l'accorde. Mais combien de pauvres marins ces pirates ont-ils massacrés ? Combien de bateaux ont-ils envoyés par le fond ?

La remarque était juste, et l'Épouvanteur ne fit aucun commentaire.

Les cris s'éteignaient peu à peu ; ils cessèrent bientôt tout à fait. Je savais que, sous le couvert de l'obscurité, les sorcières faisaient provision de sang et d'os qui serviraient à leurs rituels. Je connaissais assez Alice pour être sûr qu'elle ne participait pas à cette récolte macabre.

Nous restâmes à l'ancre jusqu'à l'aube. Alors seulement les sorcières remontèrent à bord de *La Céleste*, les vêtements couverts de taches sombres, pour regagner leur refuge, au fond de la cale. Je remarquai le contraste entre Mab et Alice. La première, jubilante, ne cachait pas le plaisir qu'elle avait pris au massacre ; la deuxième, les bras ballants, affichait une mine écœurée.

9

Ce que je suis

Nous remontions à présent vers le nord, vent debout. Depuis la proue, les côtes de la Grèce étaient visibles, et je constatais déjà combien cette terre différait de celle où j'avais toujours vécu. On apercevait bien un peu de verdure, des bosquets de pins, des chênes, des cyprès noirs dressés vers le ciel. Mais quel contraste avec les prairies luxuriantes du Comté, sans cesse balayées par les vents d'ouest chargés de pluie ! Ici, tout était sec, aride. Le soleil qui nous brûlait la nuque roussissait les collines.

Nous étions à moins d'une heure du port d'Igoumenitsa. Or, l'océan et ses créatures n'en avaient pas fini avec nous. Un son aigu s'éleva, strident, dominant le bruit des vagues contre la côte rocheuse. Bill Arkwright et John Gregory échangèrent un regard perplexe. Au même moment, *La Céleste* fit une brusque embardée qui nous jeta au sol, tandis que la proue virait vers tribord. Nous nous remîmes debout en titubant. Stupéfait, je remarquai alors que nous foncions droit vers des récifs déchiquetés.

– Des sirènes ! cria Arkwright.

Dans le Bestiaire de l'Épouvanteur, un chapitre était consacré à ces créatures féminines, qui usaient de leurs voix enchanteresses pour entraîner les marins sur des écueils et couler leurs navires. Après quoi, elles tiraient les malheureux dans les profondeurs, où ils se noyaient, et se repaissaient de leur chair. Le septième fils d'un septième fils possédait un certain degré d'immunité contre de tels maléfices, alors qu'un simple matelot était vite à leur merci.

Je suivis les épouvanteurs jusqu'à l'avant. Les voix s'élevaient, si aiguës que j'en avais les dents agacées. Pourtant je sentais monter en moi la terrible tentation de répondre à leurs appels. Je la refoulai durement, et elle s'atténua. Presque tout l'équipage s'était regroupé à la proue, le regard fixé sur la source de ce chant ensorceleur. Le capitaine, les yeux exorbités, serrait le gouvernail avec tant de force que les muscles de ses bras saillaient. Une expression égarée sur le visage, il menait le bateau droit vers les récifs, qui nous attendaient telles les énormes mâchoires d'une bête affamée.

Maintenant, je distinguais les sirènes, de très belles femmes à la peau et à la chevelure dorées, allongées sur les rochers avec une grâce royale. Je retins mon souffle, me concentrai. Je les vis changer peu à peu, jusqu'à ce que leur véritable apparence se révèle. Si leur corps était toujours celui d'une femme, leurs longs cheveux verdâtres emmêlés d'algues encadraient des visages monstrueux, aux lèvres gonflées, retroussées sur d'énormes crocs. Les marins, n'étant pas immunisés comme les épouvanteurs, ne percevaient que les illusions. Or, ils étaient séparés de leurs épouses depuis de longues semaines...

Lâchant son bâton, Arkwright empoigna le capitaine par les épaules et tenta de le tirer en arrière. J'avais eu maintes fois l'occasion, au cours de nos entraînements au combat, de constater à mes dépens quelle force il possédait. Néanmoins, il fut incapable de faire lâcher prise au marin. John Gregory vint à la rescousse. Quelques matelots quittèrent alors la proue et s'avancèrent en brandissant des matraques. On ne pouvait avoir de doute sur leurs intentions : ils brûlaient du désir de rejoindre les sirènes ; ils étaient prêts à assommer quiconque les en empêcherait.

– Arrière ! rugit l'Épouvanteur.

Son bâton dessina dans les airs un arc de cercle menaçant. Les hommes, ensorcelés par les chants, continuaient d'avancer, le regard fou. L'Épouvanteur frappa l'un d'eux au poignet, et sa matraque lui tomba des mains. Le marin recula d'un pas avec un grognement de douleur.

Je vins me placer à côté de mon maître, le bâton levé en position de défense. Nous n'avions ni l'un ni l'autre fait sortir la lame rétractable : nos adversaires formaient l'équipage de *La Céleste*, et nous ne voulions pas les blesser. C'était aussi pourquoi Arkwright se battait à mains nues avec le capitaine plutôt que de lui briser le crâne avec son bâton.

Soudain, maman surgit et s'approcha des deux lutteurs. Elle roulait entre ses paumes quelque chose qu'elle enfonça dans l'oreille gauche du capitaine. Arkwright le força à tourner la tête, et elle fit la même chose avec l'oreille droite.

D'une voix forte, pour couvrir le bruit des vagues heurtant les récifs, dangereusement proches à présent, elle déclara :

– Vous pouvez le lâcher.

Le comportement du capitaine changea aussitôt de façon spectaculaire. Il poussa un cri d'horreur et grimaça de répulsion. Les sirènes allongées sur les rochers venaient de lui apparaître sous leur véritable apparence. Il se mit à tourner le gouvernail avec frénésie. Le navire vira lentement et commença à s'éloigner des effroyables créatures. L'équipage se rua en avant. Bill Arkwright, John Gregory et moi pointâmes nos bâtons, prêts à contenir la troupe furieuse. Mais les voix ensorceleuses se perdaient déjà dans le lointain tandis que le vent arrière écartait rapidement *La Céleste* de la côte.

J'observai les expressions incrédules et horrifiées des marins devant ces affreuses créatures, qui sifflaient de rage en découvrant leurs crocs. Enfin, une à une, elles se laissèrent glisser dans la mer, où elles disparurent.

– J'ai mis de la cire dans les oreilles du capitaine, me dit maman. C'est une méthode aussi simple qu'efficace, utilisée depuis toujours par les gens d'ici. Quand on n'entend pas leur chant, les sirènes n'exercent plus aucun pouvoir. On en trouve souvent le long de nos rivages, pourtant, je croyais cette côte sûre. La puissance de l'obscur augmente, en voici une nouvelle preuve.

Lorsque le capitaine eut enlevé les bouchons de cire, maman lui expliqua, ainsi qu'à l'équipage éberlué, à quel danger ils venaient d'échapper. Puis nous reprîmes notre route, gardant désormais une distance prudente avec cette côte perverse. Nous n'avions pas encore mis un pied en Grèce que nous avions déjà dû affronter des pirates et des sirènes.

Nous accostâmes au port d'Igoumenitsa en fin de matinée. Nous restâmes à bord le temps que l'on décharge nos provisions, peu disposés à quitter la sécurité du navire. Une terre étrangère nous attendait ; l'air chaud, chargé de senteurs épicées, semblait lourd de menaces inconnues.

Tard dans l'après-midi, un nuage de poussière s'éleva sur la route menant au port. On vit bientôt émerger une troupe de cavaliers à la mine féroce, qui galopèrent jusqu'au quai. Barbus, le visage couturé de cicatrices, ils étaient vêtus de tuniques brunes et portaient une épée au côté. Derrière eux avançait un chariot recouvert d'une bâche noire.

Les cavaliers s'arrêtèrent, alignés sur le quai face au bateau, et attendirent en silence. Maman sortit de sa cabine, son capuchon relevé, un voile sur la tête, et les examina depuis le pont. Au bout d'un instant, elle se tourna vers moi :

– Ce sont des amis, mon fils. Sur cette terre dangereuse, nous aurons besoin d'eux, surtout en cas d'attaque des ménades. Viens les saluer avec moi.

Sur ces mots, elle m'entraîna vers la passerelle.

Dès que nous fûmes sur le quai, les cavaliers mirent pied à terre et nous entourèrent avec des sourires bienveillants.

Maman se plaça dos au soleil et souleva son voile. Puis elle s'adressa à eux d'une voix chaude. J'essayai de saisir ce qu'elle disait, mais elle parlait vite, et, bien que la langue qu'elle employait sonnât comme le grec, je n'en comprenais pas un mot. Enfin, elle posa la main sur mon épaule et déclara : *huios*, ce qui signifie « fils ». Ensuite, elle répéta *hepta*, « sept ». J'en déduisis qu'elle me présentait comme le septième fils d'un septième fils.

Quoi qu'il en soit, ces hommes avaient à présent les yeux fixés sur moi et, de nouveau, ils sourirent.

Désignant un type corpulent aux épais cheveux noirs, au centre du groupe, elle dit :

– Voici Seilenos, un grand ami et un homme intrépide. Son courage n'a d'égal que son goût pour la bonne chère et le bon vin ! Ici, il est à peu près l'équivalent d'un épouvanteur. Il est expert en matière de lamias et d'élémentaux ardents ; ses connaissances nous seront très utiles si nous réussissons à pénétrer à l'intérieur de l'Ord.

Elle s'adressa à lui, et Seilenos opina de la tête.

Maman traduisit :

– Je lui ai expliqué que ta vie était aussi importante que la mienne, et je l'ai chargé d'assurer ta sécurité à tout instant.

– Quelle langue parles-tu, maman ? Ça ressemble au grec ; pourtant, je n'en comprends pas un mot !

– Tu communiqueras sans problème avec la plupart des personnes que nous allons côtoyer, m'assura-t-elle. Mais ces hommes viennent du Nord. Ils emploient un dialecte que les gens du Sud qualifient de « barbaresque ».

Seilenos s'avança d'un pas et déclara non sans fierté :

– Je parle un peu votre langue. Ta mère me dit que tu es un ennemi de l'obscur, et un bon apprenti. Je t'enseignerai ce que je sais. Je connais bien cette terre et ses dangers.

– Merci, je vous en serai très reconnaissant.

– De toute façon, mon fils, intervint maman, nous n'entamerons pas notre périple vers l'est avant demain. Nous passerons cette dernière nuit sur *La Céleste*, où nous sommes à peu près en sécurité. Cependant, je veux te montrer certaines choses et t'en expliquer d'autres. Nous allons faire une courte excursion, nous serons de retour en fin de journée.

Elle se dirigea vers le chariot bâché. Le conducteur sauta à terre et souleva le pan de toile noire qui fermait l'ouverture pour nous laisser grimper.

Je fus surpris par la fraîcheur qui régnait à l'intérieur. Je regrettais de ne pouvoir regarder le paysage, mais que maman soit à l'abri du soleil brûlant valait bien ce petit sacrifice.

Escortés par la troupe de guerriers, nous roulâmes vers le sud environ une heure. Nous ralentîmes alors, et il me sembla que nous montions une côte. Nous n'échangeâmes pas un mot de tout le trajet. J'aurais aimé interroger maman, mais quelque chose dans son attitude me conseillait de n'en rien faire. Elle attendait visiblement que nous soyons arrivés à destination.

Quand nous stoppâmes enfin, je la suivis dehors et clignai des yeux, ébloui par l'intense luminosité.

Nous étions au sommet d'une colline rocheuse : la mer étincelait au loin. Devant nous se dressait une grande maison blanche, avec un jardin clos à l'arrière. La peinture des murs s'écaillait, et les volets auraient eu besoin eux aussi d'un bon coup de badigeon. Les cavaliers restèrent en selle tandis que maman me conduisait vers l'entrée.

Elle introduisit une clé dans la serrure et poussa la porte. Les gonds émirent un gémissement de protestation, à croire que personne n'avait pénétré ici depuis des années. Une fois à l'intérieur, maman souleva son voile. Elle traversa la maison, plongée dans une demi-obscurité. Je saisis un mouvement furtif, sur ma gauche. Je crus d'abord que c'était un rat. Ce n'était qu'un lézard vert, qui fila le long du mur et disparut dans un trou. Maman utilisa de nouveau sa clé pour ouvrir la porte de derrière. Elle rabaissa son voile, et nous sortîmes dans le jardin.

C'était une stupéfiante oasis de verdure, un véritable délice pour les yeux, quoique sauvage et négligée. L'eau jaillissait d'une fontaine de pierre, au centre, arrosant un fourré de hautes herbes, de buissons et d'arbustes.

Maman désigna un arbre au tronc tordu, près de la fontaine :

— Regarde ! C'est un olivier. Ces arbres peuvent vivre des siècles et donnent des fruits dont on tire une huile délicieuse. Celui-ci a plus de deux cents ans.

J'acquiesçai avec un sourire, envahi par une brusque vague de nostalgie. L'arbre de maman était si rabougri, comparé aux grands chênes, aux frênes et aux sycomores du Comté !

— Asseyons-nous à l'ombre, proposa-t-elle.

Je la suivis jusqu'à un banc adossé au mur de pierre. Une fois assise, elle releva de nouveau son voile.

— Ton père t'a parlé de cette maison et de ce jardin, n'est-ce pas ? demanda-t-elle.

Une seconde, je restai perplexe. Puis je me souvins :

– C'était ta maison, maman ? Celle où vous avez habité avec papa après qu'il t'a sauvé la vie ?

Peu avant sa mort, mon père m'avait raconté l'histoire de leur rencontre. À l'époque, il était marin. Alors que son bateau faisait escale en Grèce, il avait trouvé une jeune fille nue, attachée à un rocher avec une chaîne d'argent. Il l'avait protégée du soleil, dont la brûlure l'aurait tuée. Ensuite, il l'avait déliée, et ils avaient vécu ensemble, dans cette maison, avant de partir pour le Comté, où ils s'étaient mariés. La chaîne d'argent, je m'en servais à présent pour mettre hors d'état de nuire les sorcières pernicieuses.

Elle hocha la tête :

– Oui, c'était ma maison. Je désirais que tu la voies. Mais je t'ai surtout amené ici pour être seule avec toi, sans risquer d'être dérangée. Il y a une chose que tu dois savoir, mon fils. Je n'aurai peut-être plus l'occasion de t'en parler. Cela m'est très difficile... Il faut que je te dise ce que je suis...

– Ce que tu es, maman ? répétai-je.

Les battements de mon cœur s'étaient soudain accélérés. J'avais beaucoup attendu ce moment. Maintenant que la vérité allait m'être révélée, j'étais empli d'effroi.

Elle prit une profonde inspiration et garda le silence plusieurs minutes. Enfin elle avoua :

— Je ne suis pas humaine, Tom. Je ne l'ai jamais été.

— Ça m'est égal, maman. Je sais ce que tu es, il y a longtemps que je l'ai compris. Tu es une sorcière lamia, comme tes sœurs. Une vangire, une de celles qui volent. Mais tu as été « domestique » pendant des années. Tu es une bénévolente.

— Je pensais bien que tu saurais additionner deux et deux, soupira-t-elle. Et j'aimerais que tu aies raison. Malheureusement, tu fais erreur.

Je me dépêchai d'intervenir :

— Alors, tu es une sorte d'hybride.

— Non, Tom, je ne suis pas une hybride. Ce que je suis dépasse de très loin tes pires suppositions.

Elle s'interrompit et me regarda, les larmes aux yeux. Mon cœur cognait à un rythme affolé. Qu'allait-elle me révéler ?

— Vois-tu, mon fils, continua-t-elle, je suis une lamia. La première d'entre elles.

Je retins mon souffle. La tête me tournait. J'avais entendu les mots, mais ils n'avaient pas de sens.

— Que veux-tu dire, maman ? Je sais que tu es une lamia, une domestique, une bénévolente...

— Écoute-moi attentivement, Tom. Je suis Lamia, la mère de toutes les autres.

Une douleur aiguë me vrilla la poitrine :

— Non, maman ! Non ! Ça ne se peut pas !

Tout ce que j'avais lu dans le Bestiaire de l'Épouvanteur me revint d'un coup : la déesse Héra avait tué les rejetons de Lamia, et sa vengeance avait été terrible. Elle s'était mise à massacrer des enfants, puis des jeunes gens, tuant et tuant sans relâche.

– À ton visage, je vois que tu sais ce que j'ai fait. Tu connais mes crimes, n'est-ce pas ? Tout ce que je peux avancer pour ma défense, c'est que la perte de mes petits m'avait rendue folle de douleur. J'ai assassiné des innocents, et jamais je ne me le pardonnerai. Mais j'ai fini par choisir le parti de la lumière, et passé le reste de ma longue vie à me racheter de mon mieux.

– C'est impossible, maman, balbutiai-je. J'ai lu dans un livre de mon maître que cette créature avait été tuée par trois de ses propres filles, les premières sorcières lamias. Elles l'ont mise en pièces et ont jeté ses restes en pâture à une horde de sangliers. Ça ne peut pas être toi ; elle est morte.

– Ne crois pas tout ce que disent les livres, mon fils. Bien des histoires sont transmises de bouche à oreille pendant des lustres avant d'être écrites ; au cours du temps, la vérité a été modifiée. Il est vrai que j'ai donné naissance à des triplées, les premières sorcières lamias. Il est vrai aussi que nous nous sommes querellées. Cependant, jamais nous ne nous sommes battues. Bien que leurs paroles m'aient brisé le cœur, elles n'ont jamais levé un doigt contre moi. Elles sont mortes, à présent, mais leurs filles sauvages se sont multipliées, infestant la Grèce entière, faisant de ses montagnes les lieux les plus dangereux de la Terre. Voilà la vérité.

Une pensée me frappa alors :

– Maman, tu as des sœurs ! Lamia n'a pas eu de sœurs, elle était la première, l'unique, la mère de toutes les autres, comme tu dis...

– Je les appelle mes sœurs, et c'est ce qu'elles sont pour moi parce que nous combattons ensemble l'Ordinn et le Malin depuis tant d'années ! Notre lutte a commencé bien avant que je vienne m'installer dans le Comté avec ton père. En réalité, elles sont mes descendantes, filles des filles de mes filles. Elles ne sont mes sœurs qu'en esprit.

Mes pensées tournoyaient dans ma tête sans que j'arrive à les mettre en ordre. Les larmes ruisselaient sur mes joues. Gêné, je les essuyai d'un revers de main. Maman passa un bras autour de mes épaules :

– Cela s'est passé il y a très longtemps, mon fils. Des siècles et des siècles. Au cours d'une vie aussi longue, on évolue, on change, on devient quelqu'un d'autre. Je n'ai plus rien en commun avec la Lamia meurtrière des origines. Je me suis mise depuis tant d'années au service de la lumière ! J'ai épousé ton père afin de lui donner sept fils. Je t'ai conçu et porté comme une offrande au Comté. Une offrande au monde. Car c'est en toi que réside le pouvoir de détruire le Malin et d'ouvrir une ère nouvelle, une époque de lumière. Lorsque tout sera accompli, ma pénitence s'achèvera. J'aurai enfin payé pour mes crimes. Je sais que c'est dur à entendre. Sois brave et souviens-toi que tu es bien plus qu'une arme contre l'obscur. Tu es mon fils, et je t'aime, Tom. N'en doute jamais, quoi qu'il arrive !

J'étais incapable de prononcer un mot. Nous retraversâmes la maison en silence. Maman verrouilla la porte, et nous regagnâmes le chariot à grands pas. Un bref instant, elle s'arrêta pour regarder en arrière.

– Je ne reviendrai plus ici, dit-elle avec tristesse. Le souvenir de ton père est si vif... Cela ravive ma douleur de l'avoir perdu.

Tout le temps du retour, je m'efforçai d'assimiler les paroles de ma mère. La révélation qu'elle m'avait faite était terrible. Il me faudrait une grande force d'âme pour accepter la vérité.

10

La délégation des treize

Quand je sautai de mon hamac à l'aube, cinq nouveaux chariots stationnaient sur le quai. Alice était là-bas avec un groupe de sorcières, celles du clan des Deane. Elle semblait perdue, malheureuse. Quand elle me vit franchir la passerelle, son visage s'illumina et elle courut à ma rencontre :

– Que s'est-il passé, Tom ? Où es-tu allé, hier, avec ta mère ? Tu as reçu de mauvaises nouvelles ? Tu fais une de ces têtes !

– En ce cas, on est deux..., marmonnai-je.

Nous nous éloignâmes hors de portée des oreilles indiscrètes. Alice m'observait, attendant que je parle. Mais je n'arrivais pas à me décider. Ce que j'avais appris était trop lourd à porter ; j'étais blessé, honteux.

— Maman m'a emmené dans la maison où elle a vécu autrefois avec mon père...

— Et que t'a-t-elle dit pour que tu aies l'air aussi accablé ?

Je haussai les épaules :

— C'était triste, voilà tout. Revenir là-bas lui rappelait son bonheur perdu. Mais elle voulait que je voie les lieux.

Alice ne parut guère convaincue par ma réponse. Alors que nous revenions vers *La Céleste*, je sentis le regard de Mab Mouldheel sur nous. Elle nous observait, un sourire ironique aux lèvres.

Le déchargement de nos provisions et de notre matériel prit une bonne heure. Quand ce fut achevé, le soleil était déjà haut dans le ciel.

Nous prîmes la direction de l'est. Le chariot de maman, escorté par la troupe de cavaliers, roulait en tête. Venaient ensuite les voitures chargées de vivres, puis les sorcières menées par Grimalkin, Alice à ses côtés.

Je marchais derrière en compagnie de Bill Arkwright et de John Gregory. J'avais confié mon sac à maman, mais mon maître s'était chargé du sien, en dépit de la chaleur. Je me demandai de nouveau ce que ma mère avait bien pu lui écrire pour qu'il décide de nous accompagner à la toute dernière minute, au point qu'il avait failli manquer le bateau. Quel argument avait fait mouche ? Savait-il qui elle était ? Non : s'il avait appris la vérité sur mes origines, il ne m'aurait plus jamais approché, j'en étais sûr. Il m'aurait banni comme il avait banni Alice.

Nous voyageâmes toute la journée sous un soleil de plomb, suivant le cours de la rivière à travers la plaine de Kalamos en direction de la ville de Yiennena. J'avais le moral en berne. Je ne cessais de penser à la véritable nature de maman. De fait, aucun de nous ne se montrait causant. La chaleur était pénible, et nous devions presser le pas pour avancer au rythme des chariots.

Nous traversâmes des champs d'oliviers, des villages aux maisons blanches. Notre cortège attirait des coups d'œil intrigués. Il y avait peut-être des espions, ici et là, chargés de tenir les ménades au courant de notre avancée. Nous venions combattre l'Ordinn, nous étions donc leurs ennemis déclarés. Et, comme nos chemins convergeaient vers le même but, l'Ord, ils se rencontreraient inévitablement.

Chez nous, j'étais accoutumé au ronronnement hypnotique des insectes, au cœur de l'été. Ici, ils étaient partout. C'était un pullulement de petits êtres ailés, qui pénétraient à l'intérieur de mon capuchon et me harcelaient à coups de dards.

– Pleut-il jamais, ici ? soupirai-je en levant les yeux vers le ciel uniformément bleu et le soleil impitoyable.

– L'hiver est très pluvieux, je crois, répondit Arkwright. Il peut même faire froid. Et ta mère dit qu'au printemps la campagne est couverte de fleurs.

– J'aimerais voir ça. Qui sait, une fois notre tâche terminée, peut-être pourrons-nous revenir un jour ? J'aimerais connaître mieux le pays de maman. Mais d'où vient cette espèce de crissement ?

Ce bruit ininterrompu commençait à m'agacer.

– Ce sont des cigales, m'expliqua Arkwright. Plutôt bavardes, ces bestioles, hein ? Mais nous risquons de rencontrer des créatures d'une autre taille. Des sangliers, par exemple. Délicieux rôtis, fort dangereux si on se trouve face à leurs défenses ! Il y a aussi des loups, et même des ours.

– Oui, enchérit l'Épouvanteur. La Grèce est plus sauvage que notre Comté, sans compter la présence notoire de l'obscur : outre les ménades, les lamias infestent les montagnes. Et songez que l'Ordinn va bientôt surgir, accompagnée de troupes brûlantes d'élémentaux...

À ces mots, chacun de nous se replongea dans ses pensées. De durs combats nous attendaient. Reverrions-nous jamais les rivages verdoyants du Comté ?

Nous fîmes halte environ deux heures avant le coucher du soleil, après avoir traversé le village de Kreatopolio, nom qui signifie « boucherie ». Il y avait en effet de nombreuses boutiques, des carcasses d'agneaux pendues à leur devanture. Nous en profitâmes pour renouveler notre provision de viande. Les guerriers amis de maman dressèrent trois tentes, dont une pour elle. La plupart des sorcières choisirent de dormir à la belle étoile. J'étais épuisé : à peine avais-je fermé les yeux que le sommeil m'emporta.

Malgré la nécessité d'atteindre notre destination dans les plus brefs délais, maman nous imposa une journée de repos. Elle craignait les ménades. Des éclaireurs partiraient en exploration le lendemain matin pour repérer d'éventuels dangers.

Nous nous levâmes à l'aube pour nous restaurer. Le petit déjeuner fut des plus simples : quelques tranches de pain avec un fromage de brebis appelé feta.

– Je me damnerais pour une bonne assiettée d'œufs au bacon ! grommelai-je.

– Moi aussi, Tom Ward, fit Arkwright. Mais je crois que les hommes qui ne partent pas en exploration ce matin ont l'intention de chasser le sanglier. Nous ferons sans doute un meilleur repas ce soir. S'ils reviennent bredouilles, nous aurons toujours la viande de mouton que nous avons achetée hier.

Après avoir mangé, Arkwright, l'Épouvanteur et moi allâmes nous asseoir un peu à l'écart, à l'ombre d'un olivier. Mon maître, nerveux, ne tenait pas en place. Il se releva bientôt en marmonnant :

– Nous n'en savons pas assez ! Je vais interroger ta mère, petit.

Il fut absent près d'une heure. Quand il revint, il affichait une mine lugubre.

– Eh bien ? l'interpella Arkwright. Avez-vous obtenu des réponses ?

Mon maître posa son bâton et s'accroupit entre nous. Il resta silencieux un moment. Enfin, il déclara :

– Il paraît que, lorsque l'Ord apparaît, une délégation de la population locale pénètre dans la citadelle selon un rituel immuable. Les délégués comptent ainsi apaiser l'Ordinn et atténuer les effets dévastateurs de sa visite. En vérité, ça ne change rien.

– Pourquoi le font-ils, alors ?

– Parce qu'ils sont humains, petit. Et les humains vivent d'espoir. Aussi dramatique que soit la situation, ils se persuadent qu'ils peuvent influer sur le cours des évènements. Chaque fois, ils s'attendent à ce que leur démarche serve à quelque chose. Or, l'Ordinn a besoin de sang humain pour s'éveiller de son long sommeil avant de franchir le portail. Bien peu de ces courageux volontaires en reviennent. Quant aux rares qui s'en sortent, l'horreur de ce qu'ils ont affronté les a rendus fous. La cité de Kalambaka se prépare à envoyer une délégation de treize membres, c'est le nombre requis. Mais ta mère a une autre idée. Ce sont treize d'entre nous qui s'y rendront.

– A-t-elle dit lesquels ? lâcha Arkwright entre ses dents.

L'Épouvanteur me lança un regard dur :

– Pour l'instant, elle n'a donné qu'un seul nom. Le tien, petit. Tu seras l'un des treize.

Cette idée me glaça, mais je m'efforçai de n'en rien montrer. Je supposai que mon maître, Arkwright et maman m'accompagneraient.

– À mon avis, il s'agit d'une ruse, intervint Arkwright. Une façon de pénétrer dans la place et de prendre l'ennemi par surprise, non ?

– C'est l'idée, en effet. Mme Ward n'a pas encore tout planifié, mais elle espère créer ainsi une forme de diversion. Elle va embaucher beaucoup de mercenaires, des guerriers du Nord. L'attaque sera déclenchée quand la délégation aura joué son rôle.

Arkwright siffla ses chiens et s'éloigna. Je restai en tête à tête avec mon maître. Il ne cessait de marmonner en secouant la tête.

– Qu'est-ce qui ne va pas ? demandai-je.

– Ce qui ne va pas ? Rien ne va, petit ! Comment ai-je pu me fourrer dans une pareille situation ? Si nous survivons à l'attaque des ménades, qui ne saurait tarder, nous devrons traverser les monts Pindhos, probablement infestés de lamias. Et cela bien avant d'avoir aperçu ne serait-ce que l'ombre de l'Ordinn !

Je pensai soudain à Meg, qui avait été le grand amour de mon maître, et à sa sœur Marcia, une lamia sauvage. Toutes deux étaient revenues en Grèce l'année précédente. Peut-être notre route croiserait-elle la leur ?

Je risquai une question :

– Verrez-vous Meg, pendant notre séjour ?

Il enfonça le menton dans son cou, et je crus qu'il ne répondrait pas ou qu'il me prierait vertement de me mêler de mes affaires. Puis il me regarda, une profonde tristesse au fond des yeux. Avant même qu'il prenne la parole, je compris qu'il avait envisagé cette possibilité.

– J'y ai songé, petit. Et j'y ai renoncé. Elle m'a dit où elle se trouvait. Mais elle habite maintenant une ferme isolée, loin au sud. Depuis qu'elle vit à l'écart des humains, elle a repris sa forme sauvage. Je ne la reconnaîtrais pas. Après un an, elle n'est probablement plus très différente de sa sœur Marcia. Elle est perdue pour moi, désormais ; elle pourrait aussi bien être morte. La femme que j'ai aimée n'est plus. Je préfère garder le souvenir que j'ai d'elle.

Il soupira, et je ne sus que dire pour le réconforter. À ma grande surprise, il se remit alors debout et me sourit :

– Tu sais quoi, petit ? Mes vieux os ne se sont jamais sentis aussi bien ! Cet air chaud et sec leur convient. Nul doute que mes vieilles douleurs se réveilleront dès que nous aurons retrouvé le climat du Comté. Malgré tout, je serai content de rentrer à la maison...

En fin d'après-midi, Seilenos et trois de ses hommes revinrent après une chasse fructueuse. Les autres guerriers avaient passé la journée à explorer les environs ou à garder notre campement.

Ce soir-là, nous soupâmes sous les étoiles, de sanglier et de mouton rôtis.

— Par chance, dit maman, le pays grouille de gibier, et nos éclaireurs n'ont rien noté de suspect. Demain, nous marcherons vers Meteora.

Seilenos interpella l'Épouvanteur, qui touchait à peine à la nourriture :

— Mangez donc, monsieur Gregory ! Nous allons bientôt combattre l'obscur, nous devons refaire nos forces !

Mon maître lui jeta un regard indéchiffrable.

— Nous, les épouvanteurs, répliqua-t-il froidement, nous jeûnons lorsque l'obscur menace. Priver notre corps de nourriture nous libère l'esprit et nous prépare à affronter l'ennemi.

Le Grec secoua la tête d'un air consterné :

— Avec de telles pratiques, vous vous affaiblissez vous-mêmes. La viande et le vin sont d'excellents reconstituants, non ? Vous devrez être au mieux de votre forme face à la salamandre !

— La salamandre ? répétai-je. Qu'est-ce que c'est ?

— La forme la plus redoutable que prennent les élémentaux ardents. Pire encore que les asters. C'est une sorte de gros lézard qui se baigne dans les flammes. Un souffle brûlant sort de ses narines, et il crache le feu. Mieux vaut avoir l'estomac bien calé pour affronter un être pareil ! Alors, mange, jeune épouvanteur ! Tu en auras besoin !

Se tournant vers Bill Arkwright et John Gregory, il demanda :

– Vos femmes ne vous nourrissent donc pas, chez vous ?

– Je n'ai pas de femme, grommela Arkwright.

– Dans le Comté, expliqua mon maître, les épouvanteurs ne se marient pas. Une épouse et des enfants nous détourneraient de notre tâche : barrer la route à l'obscur.

– Une jolie femme peut constituer une distraction, certes, concéda Seilenos.

Il m'adressa un clin d'œil et ajouta :

– Par chance, la mienne est laide, et c'est une langue de vipère ! Et j'ai cinq gosses à élever. Voilà pourquoi je vous escorte : pour fuir ma femme et gagner l'argent que m'a promis ta chère maman !

Je mourais de faim, et je mangeai à satiété. Malgré tout, comparé à Seilenos, je n'avais fait que picorer. Il engloutissait la nourriture à s'en faire éclater la panse, encouragé par ses hommes, que son formidable appétit mettait en joie. Quand je me retirai pour dormir, il ingurgitait encore de pleins gobelets de vin.

Maman ne nous avait pas fait part de son plan au cours du repas. J'en déduisis que toutes ses décisions n'étaient pas encore prises. Pourquoi m'avait-elle choisi pour faire partie de la délégation ? J'avais beau lui faire confiance, cette idée me glaçait.

Le lendemain dès l'aube, nous reprîmes notre marche vers l'est. La chaleur, la poussière, le soleil impitoyable rendaient chaque étape plus pénible que la précédente. Au bout de trois jours, nous contournâmes la ville de Yiennena.

La chaîne de montagnes que nous devions franchir pour atteindre Meteora apparut enfin à l'horizon. Deux nuits plus tard, nous avions établi notre campement sur ses contreforts. Les monts Pindhos nous dominaient, tout proches. Le lendemain, bien avant midi, nous entamerions leur ascension. Derrière les montagnes nous attendait la plaine de Kalambaka, où surgirait le portail rougeoyant de l'Ordinn. Chaque mile parcouru nous rapprochait de cet instant terrible.

11

Attaque nocturne

Je m'étais allongé à quelque distance d'un des feux, enroulé dans mon manteau. La journée avait été chaude, mais les étoiles brillaient dans un grand ciel clair et l'air avait fraîchi. Au moment où je glissais dans le sommeil, je fus réveillé en sursaut par un éclat de rire dément, qui s'acheva sur une note stridente.

Je fouillai la nuit du regard. Cela se répéta ; cette fois, le son venait d'une autre direction. Empoignant mon bâton, je sautai sur mes pieds.

C'était des ménades, j'en étais sûr. Autour de moi, tout le monde s'agitait. Dans la lumière rougeoyante des braises, je vis luire le crâne rasé de

Bill Arkwright. À coups de pied, il recouvrait le foyer de poussière, nous plongeant dans une obscurité relative. D'autres en faisaient autant dans le reste du campement, pour que nos ennemies ne puissent plus se repérer qu'à la pâle clarté stellaire. Après quoi, il s'accroupit pour ne pas servir de cible, et je l'imitai.

De nouveaux cris retentirent, derrière moi, plus proches. Les ménades préparaient leur assaut. Une silhouette noire se jeta sur Arkwright. Il abattit son bâton. La créature tomba avec un grognement. D'autres couraient déjà vers nous, surgissant de tous côtés. Leurs pieds martelaient la terre sèche. Attaqué sur ma gauche, je balançai mon bâton en arc de cercle et frappai mon adversaire à la tempe. Elle vacilla et s'écroula.

D'un clic, je fis jaillir la lame ; c'était une lutte à mort, à présent. Les ménades m'encerclaient, brandissant de longs couteaux ou chargeant à mains nues. Certaines avaient déjà tué, comme le prouvaient leurs bouches barbouillées de sang. Je tourbillonnai sur moi-même pour les tenir en respect, conscient de ne devoir compter que sur mes propres forces pour me défendre. Elles étaient beaucoup trop nombreuses, et mes compagnons étaient dans la même situation périlleuse.

Mon seul espoir était de réussir à rompre le cercle. J'attaquai donc, projetant mon bâton vers la créature la plus proche. Elle tomba ; je sautai par-dessus son corps et m'engouffrai dans la brèche, accompagné par des hurlements stridents. Il fallait que je rejoigne Arkwright, l'Épouvanteur ou des sorcières, et que nous luttions côte à côte.

Soudain, une ombre surgit sur ma droite. J'esquissai un geste de défense quand une main se referma durement sur mon poignet et m'entraîna dans l'obscurité.

– Suis-moi, Tom ! cria une voix que je reconnus aussitôt.

C'était Alice.

– Où m'emmènes-tu ?

– Pas le temps de t'expliquer ! Filons d'abord de là !

Je la suivis en courant à travers le camp. Les bruits de la bataille diminuèrent ; Alice ne ralentissait pas pour autant. Je la rattrapai et la retins par le bras :

– Je n'irai pas plus loin !

Elle se retourna ; ses yeux étincelaient dans la pénombre. J'insistai :

– Il faut faire demi-tour ! Nous battre avec les autres ! On ne peut pas les abandonner comme ça...

– Ta mère m'a ordonné de te mettre en sûreté à la première attaque. Surtout s'il s'agit de ménades. « S'il lui arrive quelque chose, nous aurons entrepris ce voyage pour rien », ce sont ses propres mots. Elle m'a fait promettre, Tom.

– Pourquoi ? Je ne comprends pas...

– J'ignore quelle stratégie ta mère a imaginée pour vaincre l'Ordinn ; en tout cas, tu y joues un rôle essentiel. Allons vers l'est. Avant l'aube, nous serons dans les montagnes. Les ménades ne nous y trouveront pas.

Alice me cachait souvent des informations, mais elle ne m'avait jamais menti. Puisqu'elle suivait les instructions de maman, je n'avais qu'à obtempérer. Je l'accompagnai donc à contrecœur, dépité de laisser mes compagnons se battre sans moi. Je tâchai de me rassurer. Malgré leur nombre, les ménades trouveraient des adversaires résolus : les guerriers grecs, les sorcières de Pendle, l'Épouvanteur et Bill Arkwright, qui ne se priverait pas de briser quelques crânes.

Toutefois, une question me troublait :

– Pourquoi les sorcières n'ont-elles rien vu venir ? Toi, Mab ou maman, vous auriez pu prévoir l'attaque et donner l'alarme, non ? Qu'est-ce qui n'a pas marché ?

Alice haussa les épaules :

– Je n'ai pas d'explication, Tom.

Cette réponse me mit mal à l'aise. Néanmoins, je gardai mes réflexions pour moi. Maman m'avait confié que ses dons de scrutation diminuaient. Le Malin travaillait à nous affaiblir pour faire échouer notre mission.

– Plus vite, Tom ! me pressa Alice d'une voix anxieuse. Elles seront bientôt sur nos traces...

Nous partîmes à fond de train avant d'adopter un rythme moins rapide mais régulier. À l'instant où nous atteignions les premières pentes, la lune se leva au-dessus des monts Pindhos. Il y avait sûrement des sentiers menant au sommet, mais nous ne possédions ni carte ni connaissance du terrain. Je savais seulement que Meteora se trouvait quelque part à l'est, derrière cette chaîne montagneuse. Nous nous lançâmes dans l'escalade en nous fiant à notre instinct.

Nous traversions un bois de pins depuis une dizaine de minutes. Je transpirais tant la montée était rude. Soudain, Alice s'arrêta net, les yeux écarquillés. Elle renifla à plusieurs reprises :

– On est suivis. Des ménades, j'en suis sûre.

– Combien ?

– Trois ou quatre. Elles ne sont plus très loin.

Je regardai derrière moi. La lune baignait le flanc de la montagne, mais je ne distinguai rien, dans l'ombre des arbres. Cependant, Alice avait le don de flairer l'approche du danger.

– Plus nous monterons, plus nous aurons de chances de dénicher une cachette, dit-elle.

Nous reprîmes donc notre course, laissant bientôt le bois derrière nous. Le sol était devenu pierreux, escarpé. Je me retournai une deuxième fois. Quatre silhouettes sombres suivaient notre piste ; elles gagnaient du terrain.

Nous nous étions engouffrés dans un passage étroit, entre deux énormes rochers, quand j'aperçus devant nous l'ouverture d'une grotte. Le sentier y menait tout droit, nous n'avions pas d'alternative.

– On arrivera peut-être à les semer, dans le noir, dit Alice.

Elle renifla de nouveau :

– L'endroit me paraît sûr ; pas de danger immédiat.

– Et si c'est un cul-de-sac ? On sera pris au piège !

– On n'a pas le choix, Tom. C'est ça ou faire demi-tour et affronter les ménades.

Elle avait raison. Je battis le briquet pour allumer la chandelle que je gardais toujours dans ma poche, et nous pénétrâmes dans la grotte.

Le sol descendait en pente douce, il faisait plus frais qu'à l'extérieur. De temps à autre, nous nous arrêtions en tendant l'oreille. Aucun bruit de poursuite. Néanmoins, les ménades ne tarderaient pas à surgir. Je n'osais imaginer ce qui se passerait si nous ne trouvions pas d'issue.

Le sentier semblait avoir été souvent utilisé, ce qui laissait penser qu'il conduisait quelque part. Il descendait toujours, et chaque pas nous emmenait plus profond sous la montagne. Soudain, nous perçûmes un tapotement régulier. Il provenait de la paroi, à notre droite. Presque aussitôt, le même bruit y répondit, sur notre gauche.

– Qu'est-ce que c'est, Alice ?

Elle écouta, concentrée :

– Aucune idée. Ce ne sont pas les ménades, elles arriveraient par-derrière. À moins qu'il y en ait d'autres dans cette galerie...

Le battement s'amplifiait, comme si un ennemi invisible frappait frénétiquement sur des tambours. *Ça* provenait parfois de la voûte, parfois des parois ; *ça* nous accompagnait, à croire que *ça* se déplaçait à l'intérieur du rocher. Était-ce des sortes d'élémentaux ?

Le bruit finit par faiblir, à mon grand soulagement. Le tunnel s'étrécissait ; la pente devenait raide, le sol inégal était jonché de caillasse. Au bout de quelques minutes, nous émergeâmes dans une galerie plus large, qui montait vers la droite et descendait vers la gauche. Nous prîmes à gauche.

Ici, de l'eau cascadait le long des murs et gouttait du plafond. Nous pataugions dans les flaques. Puis le chemin se transforma en rivière peu profonde, et nous suivîmes sa course. Nous pressions le pas, de plus en plus inquiets. L'eau montait peu à peu ; nous en eûmes vite aux genoux. Le courant était si fort qu'il menaçait de nous entraîner. Nous entendions déjà les ménades s'interpeller derrière nous, leurs cris se rapprochaient.

Trébuchant, de l'eau jusqu'à mi-cuisse, nous arrivâmes devant ce qui nous parut d'abord être un cul-de-sac. Mais le niveau de l'eau restait stable. S'il n'y avait pas eu d'ouverture, elle aurait empli la grotte. En y regardant de plus près, je remarquai que l'eau s'écrasait contre la paroi en formant un violent tourbillon. Et on entendait, en contrebas, un fracas de cataracte. Pas de doute, une cascade tombait dans une autre caverne, quelque part en dessous.

Des hurlements rageurs montaient derrière nous ; les ménades étaient sur nos talons, et nous étions coincés.

Levant ma chandelle, j'examinai désespérément les murs rocheux qui nous entouraient. Sur un côté, un éboulis formait une plate-forme, au sec, menant à un boyau étroit. Je le désignai du doigt. Alice escalada aussitôt l'entassement de rochers, et je la suivis.

Nos poursuivantes ne tarderaient pas à nous rattraper. Je les entendais grimper dans la pierraille. Puis leurs pas sonnèrent derrière nous.

Que faire ? Continuer à fuir ou les affronter ? Le tunnel où nous nous étions engagés était particulièrement resserré. Les ménades ne pourraient attaquer que l'une après l'autre, ce qui me donnait l'avantage. Le moment était venu de faire face et de me battre.

Je confiai la chandelle à Alice. Libérant la lame de mon bâton, je me mis en position de défense, me remémorant les leçons d'Arkwright : « Respire lentement et profondément, répartis le poids de ton corps sur tes deux pieds, laisse l'adversaire approcher et tiens-toi prêt à contre-attaquer... »

Les ménades poussaient des cris frénétiques et déversaient un torrent d'injures en grec. Si je ne comprenais pas tout, je saisissais le sens général : elles me décrivaient le traitement qu'elles allaient m'infliger.

On va t'arracher le cœur ! Boire ton sang ! Dévorer ta chair ! Ronger tes os !

La première à s'élancer sur moi brandissait un couteau et une pique de bois à la pointe meurtrière. Son visage grimaçant exprimait un sentiment au-delà de la fureur. Elle se fendit. Je reculai d'un pas et l'abattis d'un coup à la tempe. La suivante se montra plus prudente. Elle me fixait d'un air sournois, attendant que je prenne l'initiative. Sans arme, elle avançait les mains. Si elle réussissait à m'attraper, elle me mettrait en pièces. Les autres se joindraient à la curée, et c'en serait fini de moi.

Ses lèvres gonflées se retroussèrent, découvrant ses crocs. Elle me souffla au visage son haleine puante, pire encore que celle des sorcières utilisant la magie du sang.

J'entendis alors un sourd battement, au-dessus de ma tête, suivi par un autre, plus fort, plus proche. Ce bruit ne provenait pas des ménades. Il devint assourdissant. Quelques secondes plus tard, c'était une cacophonie de coups rythmiques frappés sur le rocher, qui roulait dans le tunnel comme un tonnerre.

La ménade perdit patience et se jeta sur moi. Usant de mon bâton comme d'une lance, je lui transperçai l'épaule. Elle recula avec un cri de douleur. Soudain, il y eut au-dessus de nos têtes un grondement menaçant, et une pluie de rochers, sans doute ébranlés par les vibrations, s'abattit autour de nous. Quelque chose me frappa le crâne, et je tombai à la renverse, à moitié assommé. En me redressant sur les genoux, je découvris du coin de l'œil le visage terrifié d'Alice. Puis le tunnel s'effondra avec un fracas de fin du monde, et tout devint noir.

Quand j'ouvris les yeux, Alice était penchée sur moi. Il ne restait plus qu'un moignon de chandelle. Un goût amer m'emplissait la bouche, et je sentis sous ma langue un morceau de feuille : une des herbes médicinales qu'Alice conservait dans une bourse en cuir.

– Tu m'as fait peur, murmura-t-elle. Tu es resté inconscient des heures.

Elle m'aida à me relever. J'avais une terrible migraine, et une bosse de la taille d'un œuf sur le sommet du crâne. Il n'y avait plus trace des ménades.

– Elles ont été ensevelies sous l'avalanche. On est hors de danger, à présent.

– Espérons-le ! Elles sont très résistantes et, si certaines ont survécu, elles ne tarderont pas à nous jeter ces pierres à la tête !

Alice jeta un regard inquiet à l'amoncellement de rochers :

– Je me demande d'où venaient ces bruits...

– Je préfère ne pas le savoir. En tout cas, ce sont sûrement eux qui ont causé l'effondrement du tunnel.

– Trouvons vite une sortie, Tom. La chandelle ne va plus durer longtemps.

Encore fallait-il qu'il existe une issue. Sinon, nous étions perdus. Jamais nous ne réussirions à déblayer l'amoncellement de rochers. Certains blocs étaient si gros que, même à deux, nous aurions été incapables de les déplacer.

Nous suivîmes le tunnel en hâte. La flamme de la chandelle vacillait ; d'une seconde à l'autre, nous serions dans le noir. Et nous ne reverrions peut-être plus jamais la lumière du jour.

Je compris soudain que, si la flamme dansait, ce n'était pas seulement parce qu'elle menaçait de s'éteindre. Un filet d'air me caressait le visage. Il y avait un trou dans le rocher. Mais était-il assez grand pour nous livrer passage ? Le tunnel grimpait lentement. Peu à peu, la brise se faisait plus forte, et je repris espoir. Enfin nous aperçûmes de la lumière : oui, il y avait une sortie !

Quelques instants plus tard, soulagés d'échapper à ce qui avait bien failli devenir notre tombeau, nous émergeâmes sur un sentier accroché au flanc de la montagne. La lune pâlissait à l'approche de l'aube. Je repris le bout de chandelle, soufflai la flamme et le remis dans ma poche ; il pourrait encore servir. Puis, sans un mot, nous nous mîmes en route, marchant vers l'est sur le chemin montagneux. Nous devions gagner le plus vite possible la plaine de l'autre côté.

J'espérais de tout cœur que maman et nos compagnons avaient survécu à l'attaque des ménades. Auquel cas ils se dirigeaient vers Meteora, et c'est là que nous les retrouverions.

12
Les lamias

En arrivant à une fourche, nous hésitâmes. Les deux sentiers menaient à l'est et descendaient vers la plaine, mais lequel choisir ?

– Lequel prendrais-tu, Alice ?

Elle renifla l'un et l'autre, puis déclara, les sourcils froncés :

– Ni l'un ni l'autre. Aucun n'est sûr.

– Quel danger nous attend ?

– Des lamias. En grand nombre.

Les lamias se postaient volontiers en embuscade sur des sentiers comme celui-ci, pour y guetter les voyageurs. Je me souvenais de la prophétie de Mab : Alice serait tuée par une lamia sauvage au cours de notre voyage vers l'Ord. J'étais douloureusement partagé entre le désir de la prévenir et celui de me taire. Puis je raisonnai : elle connaissait le danger, inutile de lui rapporter les paroles de Mab, ça ne servirait qu'à l'effrayer. Néanmoins, je craignais que Mab ait dit vrai.

Observant le ciel qui s'éclaircissait, je suggérai :

– Attendons ici. Dans une demi-heure tout au plus, ce sera l'aube. Les lamias ne supportent pas la lumière du jour, nous serons en sécurité.

Mais Alice secoua la tête :

– Elles ont déjà flairé notre approche, je le parierais. Elles savent où nous sommes. Si on reste là, elles nous tomberont dessus de tous les côtés avant le lever du soleil. Mieux vaut continuer.

Son raisonnement se tenait. Me fiant à mon instinct, je choisis le chemin de gauche. Il grimpait raide un moment avant de redescendre vers une vallée encaissée entre deux hautes falaises à pic, qui resterait encore longtemps dans l'ombre. Nous n'étions pas à mi-pente que la lune pâlie disparaissait tout à fait.

Je me sentais de plus en plus nerveux. À notre droite s'ouvrait l'entrée d'une grotte. Je remarquai alors les plumes éparpillées sur le sol, signe révélateur de la présence de lamias sauvages. Quand les proies humaines se faisaient rares, elles se rabattaient sur de plus petites créatures, souris, oiseaux, qu'elles soumettaient par magie avant de déchirer leur chair et s'abreuver de leur sang.

Bientôt, à notre grande horreur, nous découvrîmes d'autres traces : une deuxième grotte, au seuil constellé de taches sombres, et des restes d'oiseaux morts : becs, ailes, têtes, pattes. Cependant, ils étaient desséchés ; la tuerie n'était pas récente.

– Nous avons pris le mauvais sentier, Alice. Faisons demi-tour !

Elle haussa les épaules :

– Continuer ou remonter à toute allure...

Mais il était déjà trop tard.

Un sifflement sinistre s'éleva derrière nous. Une énorme créature déboulait du sentier. C'était une lamia sauvage de presque deux fois ma taille. Elle courait accroupie sur quatre pattes fines terminées par de larges serres aux griffes acérées. Une espèce de crinière grasse battait le long de son cou écailleux et lui retombait sur le front. Ce que je lus sur ses traits me donna à penser que la situation ne pouvait pas être pire. Elle n'avait pas le visage bouffi d'une lamia bien nourrie, ce qui l'aurait rendue plus lente, moins agressive. Non, celle-ci était émaciée, cadavéreuse. Dans ses yeux aux paupières tombantes brillait la fièvre d'une faim trop longtemps inassouvie.

Je me plaçai devant Alice, le bâton levé. Les lamias détestent le contact du bois de sorbier. J'abattis violemment le bâton sur sa tête, et elle recula en feulant de rage. J'attaquai sans relâche, encore et encore.

C'est alors que s'éleva derrière moi un autre sifflement. Je me retournai. Une deuxième lamia avançait vers Alice. Presque aussitôt, une troisième se percha sur un gros rocher, à notre droite.

Le bois de sorbier n'y suffirait pas. Je fis sortir la lame rétractable.

— Reste collée à moi, Alice, criai-je.

Si j'arrivais à faire reculer la deuxième jusqu'à l'endroit où le sentier s'élargissait, nous arriverions peut-être à nous échapper.

Je pointai d'abord mon arme sur la lamia qui me surplombait. J'avais bien visé, ma lame lui perça l'épaule. Un sang noir jaillit de la blessure. Elle recula avec un cri perçant. Je grimpai vers elle, la frappant à coups redoublés, l'obligeant à battre en retraite. Je restai aussi concentré que possible. Les lamias sont incroyablement véloces, et cette lente reculade pouvait se changer d'un coup en attaque imprévisible. Elle serait alors sur moi en une seconde, ses serres enfoncées dans ma chair, ses dents plantées dans mon cou. Je guettais l'ins-tant propice pour lui transpercer le cœur. Pas à pas, j'avançais en m'encourageant silencieusement : « Vise bien ! Surveille-la ! Gare au premier signe d'agression ! »

Un hurlement désespéré m'obligea à tourner la tête. Alice ! Elle n'était plus là ! Abandonnant la lamia blessée, je dévalai le sentier en direction du cri. Aucun signe de mon amie. Avais-je été trop loin ?

Le cœur battant, la gorge sèche, je revins rapidement sur mes pas. Je distinguai une mince fente dans le rocher. Devant, des plumes et des débris d'os étaient répandus sur le sol. Alice avait-elle été entraînée à l'intérieur ? Un nouveau cri, lointain, étouffé, me confirma cette hypothèse. Je me faufilai par la faille et m'enfonçai dans l'obscurité. Je découvris une grotte exiguë ; au fond, un trou semblait descendre dans les entrailles de la montagne.

Soudain, je vis les yeux d'Alice rivés sur les miens. Je lus dans son regard l'épouvante, la douleur, le désespoir. Les mâchoires de la lamia s'étaient refermées sur son épaule, son cou saignait. La créature la tirait dans son repaire. Ma dernière vision fut celle de souliers pointus avalés par les ténèbres. Avant que j'aie pu faire un geste, Alice avait disparu.

Je lâchai mon bâton, m'élançai vers le trou, me jetai à genoux et tendis le bras, essayant frénétiquement d'attraper n'importe quoi, sa cheville, un bout de sa robe. Elle était déjà trop loin. Je sortis de ma poche mon bout de chandelle et mon briquet à amadou. Si je voulais entamer la poursuite, il me fallait de la lumière. Une boule dans la gorge, je revoyais les dents de la créature profondément enfoncées dans l'épaule d'Alice. La prédiction de Mab se réalisait. Elle avait ajouté qu'Alice mourrait dans les ténèbres. La lamia la viderait de son sang jusqu'à ce que son cœur cesse de battre.

Au-dessous de moi, j'entendis des craquements. J'arrivais sûrement trop tard. Brusquement, je me rappelai le cadeau de Grimalkin. Dans ma panique, j'avais oublié le noir désir. L'invoquer, c'était utiliser le pouvoir de l'obscur. Mais comment laisser Alice mourir alors que je possédais le moyen de la sauver ? Je ne pouvais imaginer la vie sans elle. Les larmes me montèrent aux yeux. J'hésitai, cependant : cela la sauverait-elle vraiment ? Le sort serait-il assez puissant ?

Je finis par me décider. Je criai :

– Je veux qu'Alice soit sauvée !

Et, comme Grimalkin me l'avait recommandé, je répétai très vite une deuxième fois :

– Je veux qu'Alice soit sauvée !

Je ne sais pas à quoi je m'attendais. Sûrement pas à la voir réapparaître saine et sauve à mes côtés. J'espérais qu'elle allait sortir en rampant du trou de la lamia. Le silence était total. Je n'entendais que le lointain gémissement du vent, au-dehors. Grimalkin m'avait assuré que ce sort contenait un pouvoir patiemment accumulé. Quelque chose allait arriver, non ?

Mais rien ne se passait. Rien du tout. Je crus que mon cœur sombrait dans ma poitrine. Ça n'avait pas marché. Avais-je commis une erreur ? Je scrutai du regard la bouche sombre du repaire de la lamia, et le regret me tordit l'estomac. J'avais perdu un temps précieux en utilisant ce sort. Pourquoi avais-je été aussi stupide ? J'aurais dû allumer ma chandelle et ramper dans le trou sans attendre !

Je saisis mon briquet. Je sentis alors une présence derrière moi. Dans ma hâte de sauver Alice, j'avais oublié la troisième lamia. Je me retournai...

Ce n'était pas la lamia ; c'était pire. Debout dans la grotte se tenait le Malin.

Il avait repris l'apparence de Matthew Gilbert, le marinier assassiné[1]. De son vivant, Matthew était un costaud jovial aux larges mains et au sourire chaleureux. L'homme, devant moi, ressemblait en tous points à celui qui menait sa barge le long du canal de Caster à Kendal. Sa chemise entrouverte laissait voir la toison brune qui lui couvrait la

---

1. Lire *L'erreur de l'Épouvanteur*.

poitrine. Mais le Malin m'était déjà apparu sous cette forme, et je savais parfaitement à qui j'avais affaire.

– Eh bien, Tom, voilà un jour que j'attendais depuis longtemps. Tu as enfin utilisé le pouvoir de l'obscur !

Effrayé, je reculai d'un pas en secouant la tête. Pourtant, je ne pouvais me mentir à moi-même. L'Épouvanteur m'avait prévenu : le Malin tenterait de m'attirer à ses côtés, de me corrompre peu à peu jusqu'à ce que mon âme lui appartienne totalement. À présent, le processus était engagé. Pour sauver Alice, j'avais pactisé avec l'obscur.

– Inutile de le nier, reprit le Malin. Croyais-tu que j'allais l'ignorer ? Dès que tu as fait usage de magie noire, j'ai été alerté ; je suis venu aussitôt. Le noir désir a sauvé Alice. Elle sera près de toi dès que je t'aurai laissé seul et que le temps aura repris son cours. En cet instant, tout est figé, toi seul es libre de bouger. Regarde autour de toi si tu ne me crois pas.

Le Malin avait le pouvoir de ralentir ou arrêter le temps. En regardant au-dehors par l'ouverture de la grotte, je vis un aigle, près d'un rocher escarpé. Il ne planait pas, il était immobilisé, les ailes étendues, dans le ciel clair.

Le Malin continua :

– Tu as eu de la chance de t'échapper et de te réfugier dans ces montagnes. L'attaque des ménades vous a tous pris au dépourvu. Les sorcières de Pendle qui se sont dressées contre moi n'ont rien vu venir. Pas même cette petite Mouldheel si douée pour la scrutation. Quant à ta mère, voilà des mois que j'obscurcis ses dons de vision. Comment ose-t-elle imaginer vaincre une ennemie dont je suis l'allié, tu peux me le dire ?

Je ne répondis rien. Affronter une créature aussi monstrueuse que l'Ordinn était déjà terrifiant. Et voilà que derrière elle, lui apportant une puissance encore plus redoutable, se tenait Satan. Notre entreprise paraissait vouée à l'échec.

– Te voilà bien silencieux, Tom. Tu sais que j'ai raison. Je vais donc t'en dire plus. Je vais t'expliquer à quel point la situation est désespérée. C'est bientôt ton anniversaire, tu vas avoir quinze ans, n'est-ce pas ?

De nouveau je restai muet. C'était exact. Dans un peu plus d'une semaine, le 3 août, j'aurais quinze ans.

– Ta mère compte sur toi pour exécuter son plan fatal. Veux-tu savoir quel rôle elle souhaite te voir jouer ?

– Je fais confiance à ma mère, répliquai-je. Je suis son fils, et je lui obéirai quoi qu'elle me demande.

– Quoi qu'elle te demande ? Voilà qui est généreux ! Trop généreux ! Parce qu'elle va te demander beaucoup. Ta vie, rien de moins. Le jour de ton quinzième anniversaire, elle te sacrifiera pour satisfaire son désir désespéré de victoire.

– Vous mentez ! criai-je, tremblant de colère. Ma mère m'aime. Elle aime chacun de ses fils. Jamais elle ne ferait une chose pareille.

– Le crois-tu vraiment, Tom ? Pas même pour sauver le monde ? Que sont les individus, devant un tel dessein ? Elle croit à la lumière et elle est prête à tout pour vaincre l'obscur. Même à sacrifier l'être qu'elle aime le plus, toi, Tom.

– Elle ne ferait pas ça ! Jamais elle ne voudrait...

– Non ? Tu en es sûr ? Même si répandre un sang... particulier lui donnait une chance de l'emporter ? Le sang du septième fils d'un septième fils...

Je ne savais plus que dire.

Le Malin savourait mon trouble :

– Ce n'est pas tout. Tu es le fils de ta mère, et elle n'est pas humaine. Connais-tu sa vraie nature ?

Il sourit :

– Elle te l'a révélée, je vois ça. Je lis en toi à livre ouvert, Tom. Donc, tu sais comment elle a agi, autrefois. Tu sais quelle servante de l'obscur elle a été, cruelle et assoiffée de sang. Et, bien qu'elle se soit convertie à la lumière, elle retrouve peu à peu sa forme originelle. Réfléchis : rien de plus facile, pour une telle meurtrière, que de te sacrifier à sa cause !

Tout devint noir autour de moi. J'eus l'impression de basculer dans le vide, comme si on m'avait jeté du haut d'une falaise et que mon corps tombait en tourbillonnant vers le sol rocheux où il se fracasserait. Épouvanté, j'attendais le terrible impact.

13

Mon sang

J e ressentis une violente secousse, mais aucune
douleur. J'ouvris les yeux et les refermai aussitôt,
ébloui par le soleil. La matinée était bien avancée.
Je m'assis et regardai autour de moi. Mon bâton
était posé à mon côté.

La mémoire me revint brutalement. Alice ! La
grotte !

D'un bond, je fus sur mes pieds. Je me trouvais sur
un sentier encaissé entre deux hauts pans de rocher.
Était-ce celui que nous avions suivi à la fin de la nuit ?
Je n'aurais su le dire. En tout cas, aucune faille révélant l'entrée du repaire des lamias n'était visible, pas
plus que les traces de leurs derniers festins.

– Tom !

Je pivotai sur mes talons. Alice courait vers moi, le visage ruisselant de larmes. Je l'avais crue morte, aussi je m'élançai et l'enveloppai de mes bras. Tous mes doutes s'étaient effacés. Qu'importe ce qu'en penserait l'Épouvanteur ! J'avais sauvé Alice, rien d'autre ne comptait. Nous restâmes un long moment ainsi, serrés l'un contre l'autre. Puis elle se dégagea, recula d'un pas et me regarda, les mains posées sur mes épaules :

– Oh, Tom ! Tout cela est-il vraiment arrivé ? Tout était noir, les dents de la lamia s'enfonçaient dans ma chair. Je perdais mes forces en même temps que mon sang. J'ai cru que tout était fini, que j'allais mourir. Et, quand je suis revenue à moi, le soleil brillait, mon corps ne portait aucune marque. Ai-je fait un cauchemar ?

– C'est arrivé, dis-je. Mais Grimalkin m'a offert deux présents : une lame et un sort. Quand la lamia t'a traînée dans son antre, j'ai utilisé le sort pour te sauver. Alors, ton père m'est apparu.

Je lui rapportai les paroles du Malin m'annonçant que j'allais être sacrifié. Toutefois, je ne lui dis pas que maman était Lamia, la première de toutes. Prononcer de tels mots m'aurait été trop cruel.

Alice haussa les épaules :

– Il s'est amusé avec toi, rien de plus. Il s'est servi des circonstances, c'est son habitude. N'imagine pas un instant que tu sois destiné au sacrifice ! Ta mère a tout mis en œuvre pour te protéger. La nuit dernière, elle m'a chargée de te mettre hors de danger. Il mentait, Tom. Il mentait, comme toujours…

– Peut-être. Mais il ne mentait pas, au printemps, quand il m'a révélé que tu étais sa fille. Et ce qu'il a dit cette nuit pourrait bien être vrai. Malgré l'amour que maman me porte, elle accepterait de me sacrifier et d'en supporter le chagrin si cela lui assurait la victoire. Peut-être me protège-t-elle maintenant pour m'utiliser le moment venu.

– Ta mère ne ferait jamais une chose pareille, Tom.

– Même si c'était l'unique moyen de venir à bout de l'obscur ? Souviens-toi : c'est dans ce but qu'elle m'a mis au monde. Elle a dit un jour à l'Épouvanteur que j'étais « son cadeau au Comté ». Je suis né pour cela.

Alice secoua la tête :

– Elle te l'aurait demandé d'abord. De même qu'elle t'a demandé de lui rendre son argent et de venir en Grèce avec elle.

Je restai un instant silencieux, me rappelant combien maman aimait sa famille.

– Tu as sans doute raison, Alice. Si cela doit arriver, elle me le demandera.

— Et quelle sera ta réponse, Tom ?

Je ne répondis pas. Je préférais ne pas y penser.

— Nous savons, toi et moi, que tu diras oui.

— De toute façon, fis-je amèrement, ça ne servira à rien. Le Malin apportera son soutien à l'Ordinn tout en continuant à affaiblir maman. Il l'a déjà fragilisée. Elle ne peut plus lire l'avenir, c'est pourquoi elle a besoin de Mab. Même si l'Ordinn était vaincue, il faudrait encore compter avec le Malin. C'est un combat sans espoir.

Nous reprîmes notre marche en silence, suivant le sentier qui sinuait à flanc de montagne.

Notre descente s'acheva à travers un bois de pins, puis nous débouchâmes sur la plaine aride qui menait à Meteora. Je savais que les monastères étaient bâtis sur des pitons rocheux. Même si nous nous écartions trop vers le sud, nous les apercevrions de loin.

Le deuxième jour de notre voyage, nous crûmes voir de la poussière monter à l'horizon. Ce pouvait être la troupe de maman, ce pouvait être aussi une attaque de ménades. Pour ne pas risquer d'être capturés, nous gardâmes nos distances.

Enfin les rochers de Meteora apparurent. Plus nous approchions, plus les lieux étaient spectaculaires. De gigantesques piliers rocheux, sculptés par les éléments, émergeaient de l'épaisseur des arbres et des buissons. Perchés au sommet se dressaient les fameux monastères. Qu'ils aient été bâtis de main d'homme à des hauteurs aussi prodigieuses paraissait incroyable. Et comment résistaient-ils aux ravages du temps et des intempéries ?

La petite ville de Kalambaka, entourée de murs, s'étendait au pied des rochers, bordée au sud par des champs d'oliviers. M'abritant les yeux du revers de la main, je scrutai l'horizon. Maman avait craint que nous n'arrivions pas en temps et en heure, mais on ne voyait encore aucun signe annonciateur du surgissement de l'Ord.

Nous contournâmes la ville pour grimper dans les bosquets, à l'abri d'éventuels regards. Seuls les moines auraient pu nous apercevoir du haut de leurs nids d'aigle.

Des lanternes suspendues à des cordes tendues entre les maisons éclairaient la ville. Elles se balançaient dans le vent et, cette première nuit, nous passâmes des heures à les regarder. Les étoiles traversaient lentement le ciel au-dessus de nos têtes, tandis que les lanternes dansaient en contrebas. Alice fit rôtir des lapins, qui se révélèrent aussi succulents que ceux du Comté.

La deuxième nuit, alors que nous mangions, Alice flaira un danger. Elle se leva d'un bond, un doigt sur ses lèvres. Mais il était déjà trop tard.

Une silhouette massive sortit de derrière les arbres et pénétra dans la clairière où nous étions installés. J'entendis un ébrouement, accompagné d'un bruit métallique. Un rayon de lune glissa entre les nuages, révélant à nos yeux stupéfaits une apparition scintillante.

C'était un cavalier vêtu d'une cotte de mailles, deux grandes épées attachées à sa selle. Et sa monture ! Elle ne ressemblait en rien aux forts et lourds chevaux qui tiraient les barges ou les chariots dans le Comté. C'était un pur-sang aux longues jambes fines, à l'encolure arquée, une bête conçue pour la vitesse. Son cavalier avait tout d'un guerrier : un nez aquilin, de hautes pommettes, de longs cheveux et une épaisse moustache ombrageant sa bouche.

L'homme tira une épée et, l'espace d'un instant, je crus notre dernière heure arrivée. Il nous fit seulement signe de quitter la clairière. Sans discuter, nous gagnâmes aussitôt le couvert des arbres.

Ce cavalier était un éclaireur. À l'aube, une bonne centaine d'hommes approchait à travers la plaine. Leurs armures étincelaient au soleil levant, la poussière soulevée par le trot de leurs montures tourbillonnait derrière eux tel un nuage d'orage. Ils donnaient une impression de force formidable.

Ils installèrent leur campement à la lisière des arbres, au nord de la ville.

– Crois-tu que leur présence ait un rapport avec l'Ordinn ? demandai-je à Alice. Vont-ils combattre pour ou contre elle ?

– Je l'ignore, Tom. Mais ta mère a engagé des mercenaires pour nous protéger des ménades. Ce sont peut-être eux. Auquel cas ils sont nos alliés.

– J'aimerais croire qu'ils le sont. Dans le doute, mieux vaut ne pas les approcher.

Nous nous renfonçâmes donc sous les arbres, attendant de savoir s'il s'agissait d'amis ou d'ennemis. Tandis que nous patientions, Alice sortit de sa poche un petit flacon en terre. C'était la fiole de sang qu'elle m'avait montrée après notre combat contre les sorcières du marais[1].

– J'ai beaucoup pensé au Malin, ces temps-ci, me dit-elle. Nous pourrions l'obliger à garder ses distances – vis-à-vis de toi, du moins – grâce à ceci.

Les sorcières employaient deux méthodes pour tenir le Malin à l'écart. Soit elles lui donnaient un enfant, comme l'avait fait Grimalkin ; soit elles se servaient d'une fiole de sang. Alice prétendait que la sienne contenait quelques gouttes du sang de Morwène. Cette sorcière d'eau, une des filles du Malin, était morte, à présent. Si j'y mêlais mon

---

1. Lire *L'erreur de l'Épouvanteur*.

propre sang et gardais toujours la fiole sur moi, Satan ne pourrait plus m'approcher.

Je refusai avec fermeté. J'avais déjà pris un grand risque en ayant recours au noir désir. Peu à peu, je me compromettais avec l'obscur. Je me rappelai soudain ce que mon maître m'avait dit, quelques mois plus tôt, quand je lui avais révélé qu'Alice était la fille du Diable. Il doutait que le sang contenu dans la fiole fût celui de Morwène. Alice y avait probablement mis le sien. Le sang de n'importe quel enfant du Malin pouvait convenir.

– C'est ton sang, dans la fiole, n'est-ce pas, Alice ?

Sa première réaction fut de protester. Puis elle me lança un regard de défi :

– Oui, Tom, c'est le mien. Tu es content, maintenant ? Fier de me prendre en flagrant délit de mensonge ? Le sang de Morwène ou le mien, quelle importance ? Si tu y ajoutes quelques gouttes du tien, et une fois le flacon en ta possession, tu n'auras plus jamais à subir une confrontation comme celle de cette nuit.

Je baissai les yeux.

– Autre chose, poursuivit-elle. De ce moment, nous ne devrons plus nous quitter. La fiole de sang te protégera, et moi aussi, tant que je serai près de toi. Si je m'éloigne, le Malin me tombera dessus pour se venger, car il saura ce que j'ai fait. Rester à tes côtés, Tom, ça ne m'ennuie pas, au contraire. Et il nous faut tirer parti de tout ce qui augmente nos chances de victoire.

– Ton raisonnement est juste, Alice, et je ne veux pas me disputer avec toi. Mais ça n'y change rien. Ma décision est prise ; je refuse d'employer l'obscur une fois de plus. D'ailleurs, nous n'avons pas besoin d'un lien de ce genre, toi et moi. J'ai toujours eu peur que nous soyons séparés. Jamais je ne te laisserai partir loin de moi. Comment pourrions-nous vivre, sinon ?

Je n'osai ajouter que nous serions certainement séparés dès notre retour au Comté, en supposant que nous survivions à la bataille future. Si je continuais mon apprentissage auprès de l'Épouvanteur, en aucun cas mon maître ne permettrait à Alice d'habiter de nouveau avec nous, à Chipenden.

Hochant tristement la tête, elle remit la fiole dans sa poche.

Une heure environ après le lever du jour, Alice désigna quelque chose :

– Regarde ! On dirait le chariot de ta mère !

En plissant les yeux, je finis par distinguer, stationné à l'extrémité du camp des cavaliers, un véhicule recouvert d'une bâche.

– Tu crois ? fis-je, dubitatif.

– Difficile d'en être sûre, à cette distance, mais il me semble que oui.

Depuis l'attaque des ménades, je me tourmentais à l'idée que maman ait pu être enlevée ou tuée par ces créatures. Et voilà que mes pires craintes se dissipaient. Alice avait bien vu. Au bout d'un moment, un petit groupe à pied s'avança. En tête marchait une femme au visage recouvert d'un voile épais.

– C'est elle, Tom ! C'est ta mère ! s'exclama Alice.

Un homme venait derrière elle, un bâton à la main. À sa démarche, je sus que c'était l'Épouvanteur. Parmi ceux qui suivaient, je reconnus Seilenos et quelques hommes de son escorte, qui nous avaient rejoints à Igoumenitsa. Maman était saine et sauve !

Sortant de dessous les arbres, nous courûmes à leur rencontre. Dès qu'elle nous aperçut, la femme voilée nous fit de grands signes. Quand je fus devant elle, elle tourna le dos au soleil, souleva son voile et me sourit.

Son sourire, cependant, avait quelque chose de contraint. Une lueur sauvage brillait dans son regard, et jamais elle n'avait paru aussi jeune. Les fines rides autour de ses yeux et de sa bouche avaient disparu.

S'adressant à Alice, elle déclara :

– Bien joué, jeune fille ! Tu as réussi à mettre Tom en sûreté. Les ménades nous ont donné du fil à retordre, mais nous les avons tenues en respect jusqu'à l'arrivée de ces guerriers. Ce sont les mercenaires engagés grâce à l'argent que tu m'as rendu, mon fils. Ils étaient en route pour nous rejoindre et sont arrivés à temps pour mettre nos ennemies en fuite.

– Tout le monde va bien ? demandai-je. Où est Bill Arkwright ?

– À part quelques écorchures, tout le monde va bien, me rassura l'Épouvanteur. Bill discute avec le chef des mercenaires. Ils établissent notre tactique d'approche face à l'Ord.

– Venez, maintenant, nous pressa maman. Ne perdons pas de temps. Nous allons rendre visite au prieur de l'un des monastères. Il a des choses utiles à nous apprendre.

Je désignai le plus proche, perché sur un pic abrupt :

– C'est ici, maman ?

– Non, dit-elle en rabattant son voile. Celui-ci s'appelle Ayiou Stefanou. Bien qu'il soit spectaculaire et proche de la ville, il n'est ni le plus haut ni le plus important. En route ! Une longue marche nous attend.

Le trajet dura des heures. Enfin nous arrivâmes en vue d'un imposant bâtiment au sommet d'un énorme piton rocheux.

— Voici Megalou Meteorou, dit maman, le plus grand de tous. Il est presque deux fois plus haut que la cathédrale de Priestown.

Je contemplai l'édifice, abasourdi :

— Comment a-t-on pu construire ça sur un rocher aussi inaccessible ?

— On raconte des tas d'histoires à propos de cette construction. Mais ce monastère a été fondé par un certain Athanasios, il y a plusieurs siècles. Des moines habitaient déjà des cavernes dans les environs depuis fort longtemps. Ce monastère fut le premier à être élevé ici. D'après une légende, Athanasios aurait volé jusqu'au sommet sur le dos d'un aigle.

Comme pour étayer son propos, elle me désigna deux grands oiseaux de proie planant sur les courants chauds, au-dessus de nous. Je fis remarquer avec un sourire :

— C'est un peu comme l'histoire d'Héraclès qui aurait jeté en l'air un énorme rocher.

— En effet. La vérité est probablement qu'il a été aidé par les habitants du coin, tous très doués pour l'escalade.

— Et comment grimpe-t-on là-haut ?

— Il y a des marches. Beaucoup de marches. Ce sera une rude expédition, mais imagine quel travail ce fut de les tailler dans le roc ! John Gregory, toi et moi serons les seuls à monter. Alice nous attendra en bas. Les moines me connaissent, j'ai souvent discuté avec eux. Mais les femmes ne sont généralement pas admises dans l'enceinte du monastère.

Alice, déçue, resta donc au pied du rocher avec notre escorte, tandis que je suivais maman et l'Épouvanteur sur les degrés de pierre. Il n'y avait pas de rampe, et un vide vertigineux s'ouvrait à notre droite. Nous arrivâmes enfin devant une porte de fer, encastrée dans le roc. Un moine nous ouvrit et nous invita à gravir encore plusieurs volées d'escalier tout aussi raides. Quand nous atteignîmes le sommet, un large dôme nous surplombait.

– Voici le catholicon, m'expliqua maman. L'église principale d'un grand monastère.

– C'est là que nous allons entrer ?

– Non, nous sommes attendus par le père supérieur dans ses appartements privés.

On nous conduisit vers un bâtiment bas, et nous fûmes introduits dans une cellule austère. Un moine au visage émacié, au crâne lisse – rasé de plus près encore que celui de Bill Arkwright ! –, se tenait accroupi sur le sol carrelé. Les yeux fermés, il semblait à peine respirer. J'examinai avec étonnement les murs nus, le tas de paille, dans un coin, qui devait servir de lit. Pour un prêtre de son rang, à la tête d'un monastère d'une telle importance, je m'attendais à un tout autre logement.

La porte se referma derrière nous sans que le père supérieur parût remarquer notre présence. Il ne fit pas un mouvement. Maman posa un doigt sur sa bouche, nous imposant le silence. Je remarquai alors que les lèvres du prêtre frémissaient : il était en prière.

Quand il ouvrit enfin les yeux, il posa sur chacun de nous, tour à tour, un regard qui avait la couleur des jonquilles dans les sous-bois du Comté au printemps. D'un geste, il nous invita à nous asseoir en face de lui.

Maman désigna mon maître d'un mouvement de tête :

– Voici mon ami John Gregory, un ennemi de l'obscur.

Le moine lui adressa un demi-sourire avant de me fixer.

– Est-ce votre fils ? demanda-t-il.

Il s'exprimait dans un dialecte grec que je comprenais aisément. Ma mère lui répondit dans la même langue :

– Oui, père. C'est mon septième fils, le plus jeune.

Se tournant vers elle, il reprit :

– Avez-vous décidé d'un plan pour pénétrer dans l'Ord ?

– Si vous pouviez persuader les gens de Kalambaka de rester à l'écart, une partie de mes compagnons prendraient la place de leur délégation.

Le saint homme fronça les sourcils :

– Qu'est-ce qui vous pousse à courir un tel risque ?

– Seuls quelques serviteurs de l'obscur, ceux qui reçoivent la délégation, sortent de leur sommeil au moment où l'Ord surgit. Pendant que nous distrairons leur attention, une attaque d'importance se préparera. Mon espoir est d'atteindre l'Ordinn et de la détruire avant qu'elle soit pleinement réveillée.

– Prendrez-vous part au sacrifice rituel ? Irez-vous jusque-là ?

Maman répondit d'un ton mystérieux :

– Il y a plusieurs moyens de briser les défenses d'une citadelle. J'emploierai la même ruse que les anciens, un cheval de bois...

À quoi faisait-elle allusion ? Je n'en avais pas l'ombre d'une idée, mais le visage du prêtre s'illumina. Il me fixa de nouveau :

– Le garçon sait-il ce qu'on attend de lui ?

Maman secoua la tête :

– Je le lui dirai le moment venu. C'est un fils loyal et obéissant, il fera ce qu'il faut.

À ces mots, mon cœur s'accéléra. Je me rappelai la prédiction du Malin au sujet d'un sang répandu – le mien. Avait-il dit la vérité ? Le père supérieur venait de parler de sacrifice rituel. Serais-je la victime ? La victoire était-elle à ce prix ?

L'Épouvanteur prit alors la parole :

— Bien des choses ne nous ont pas encore été révélées ; nul doute que nous devions nous attendre au pire...

Il jeta à maman un regard accusateur avant de s'adresser au prêtre :

— Mais vous, père, répondez-moi ! Avez-vous déjà relevé des signes annonçant avec précision l'arrivée de l'Ordinn ?

— Non. Cependant, l'instant est proche. Ce n'est plus qu'une question de jours.

— Il nous reste donc peu de temps pour nous préparer, conclut maman en se relevant. Nous allons prendre congé. Aussi, père, je vous le demande encore une fois : obtiendrez-vous de la délégation qu'elle nous cède la place ?

Le supérieur fit un signe d'assentiment :

— Je l'obtiendrai. Ils accepteront avec soulagement, j'en suis sûr, d'être libérés de ce devoir, qui équivaut à une sentence de mort. Toutefois, avant que vous partiez, j'aimerais que vous assistiez à notre office. Le garçon, en particulier. Il me semble avoir une piètre idée de la puissance de la prière.

Nous quittâmes donc l'humble cellule pour le magnifique dôme du catholicon en compagnie du prêtre. Sa dernière remarque m'avait légèrement irrité. Que savait-il de mes opinions ? Je n'avais jamais vraiment cru possible d'obtenir quelque chose en priant, ce qui ne m'empêchait pas de répondre *Amen* quand papa récitait les grâces après notre souper familial. Je respectais la foi des autres, comme il m'avait enseigné à le faire. Il n'y a pas qu'un seul chemin pour aller vers la lumière.

L'église était splendide, avec ses piliers de marbre et ses mosaïques. Une centaine de moines se tenaient devant l'autel en silence, les mains levées. Soudain, ils entonnèrent un hymne. Et quel hymne !

J'avais entendu le chœur de garçons, dans la cathédrale de Priestown. Comparé à ce que j'écoutais là, ce n'était que des refrains de taverne ! Les voix des moines s'élevaient sous le dôme en accords parfaits, montant et descendant telle une envolée d'anges. Une force extraordinaire s'exhalait de cette harmonie céleste.

De telles prières avaient-elles réellement le pouvoir de tenir l'Ordinn en respect ? C'était bien possible, après tout ! Cependant, l'obscur gagnait en puissance, et la déesse assoiffée de sang ne resterait plus confinée sur cette plaine. Si nous ne réussissions pas à la détruire, ses troupes démoniaques déferleraient sur le pays, sur le Comté, sur le monde entier. Et nos chances de succès étaient bien minces...

Lorsque nous quittâmes le catholicon, laissant le chant des moines s'éteindre peu à peu derrière nous, je surpris le rictus rageur de mon maître. Il affichait le même le jour où il était parti de la ferme comme une furie pour retourner à Chipenden. Il n'allait pas tarder à faire savoir sa façon de penser, et maman sentirait passer le feu cinglant de ses critiques.

14

Signes avant-coureurs

— Ce rituel de sang, en quoi consiste-t-il ?

L'Épouvanteur fixait maman, le regard dur.

Nous étions sous la tente, assis en rond à même le sol. Alice était à ma droite, John Gregory à ma gauche. Il y avait aussi Bill Arkwright et Grimalkin.

Dès notre retour au campement, l'Épouvanteur avait dit à maman ses quatre vérités. D'un ton poli mais sans réplique, il avait exigé de savoir exactement à quoi la délégation se trouverait confrontée. Il avait même accusé maman de dissimuler sciemment des informations essentielles.

Notre réunion était la conséquence de cette prise de bec. À son expression sévère, il était clair que maman répugnait à révéler certaines choses, en tout cas, à une telle assemblée. Elle aurait préféré m'en parler en privé.

– Je ne sais pas tout, loin de là, reconnut-elle. Et ce que je sais, je l'ai appris des survivants des délégations précédentes, à travers des récits souvent incohérents ; la terrible épreuve qu'ils avaient traversée leur avait brouillé l'esprit. En tout cas, les serviteurs de l'Ordinn exigent du sang. Cette fois, c'est ton sang qu'ils voudront, Tom.

– Le mien ? Pourquoi ?

– Parce que tu es le plus jeune, mon fils. Chaque fois que les treize membres d'une délégation se sont présentés, les serviteurs ont pris le sang du plus jeune. Et il faut que tu le leur donnes, c'est important.

– Vous exigez de votre fils le sacrifice de sa vie ? intervint l'Épouvanteur avec colère.

Maman lui adressa un pâle sourire :

– Cette année, ils ne tueront pas le donneur, même si ce fut toujours le cas jusqu'ici. Ils se contenteront de remplir une coupe.

Son regard revint sur moi :

– Connais-tu l'histoire de la chute de Troie ?

Je secouai la tête. Bien que maman m'eût enseigné le grec, elle m'avait peu parlé de son pays. Mon enfance avait été bercée par les légendes du Comté, avec leurs sorcières, leurs gobelins, les héros de leurs batailles.

– Il y a très longtemps de cela, se mit-elle à raconter, les Grecs menèrent une longue et terrible guerre contre Troie. Le siège de la cité dura des années, pendant lesquelles l'armée grecque campa sous ses murailles imprenables. Finalement, ils fabriquèrent un grand cheval de bois, qu'ils laissèrent devant Troie, dans la plaine, avant de remonter sur leurs navires et de s'éloigner comme s'ils abandonnaient le combat. Les Troyens, voyant en ce cheval une offrande pour leurs dieux, le tirèrent au cœur de leur cité et se mirent à célébrer leur victoire. Or, c'était une ruse. Cette nuit-là, lorsque les Troyens exténués et enivrés de vin furent endormis, les Grecs cachés dans le ventre du cheval en sortirent. Ils ouvrirent les portes de la ville à leur armée, revenue dans l'obscurité. Et le massacre commença. Troie fut incendiée, les Grecs gagnèrent la guerre. Tu es notre cheval de Troie, mon fils. Nous allons tromper les serviteurs de l'Ordinn et briser les défenses de l'Ord.

– Comment ça ? demandai-je.

– L'Ordinn ne peut s'éveiller de son sommeil, dans l'obscurité de sa citadelle, que grâce à un sacrifice humain. Ton sang la ranimera, il lui rendra la vie. Mais ton sang est aussi le mien. Le sang de sa pire ennemie coulera dans ses veines. Il l'affaiblira, il limitera son terrible pouvoir. Mieux encore : en partageant le même sang, vous serez de la même parenté. Tu auras accès à des lieux qui, sans cela, te seraient interdits. Et moi avec toi. Les défenses de l'Ordinn, ses pièges, ses chausse-trapes, et toutes les noires entités à son service, seront ébranlés. Celles qui forment sa garde ne te verront pas – ni moi non plus – comme une menace. Voilà sur quoi je compte pour réussir.

– Une simple coupe emplie du sang de Tom, avez-vous dit ? intervint l'Épouvanteur. Alors que, d'habitude, il fallait sacrifier une vie ? Pourquoi serait-ce différent, cette fois ?

– L'un des membres de la délégation est invité à combattre, expliqua maman. Les règles ne sont pas très claires, mais il semble que, si le champion des humains est vainqueur, la vie du donneur est épargnée.

– L'un de ces champions a-t-il jamais gagné ? insista l'Épouvanteur.

– Jusqu'ici, personne ne s'est montré assez brave pour se porter volontaire. Notre champion sera Grimalkin.

– Et si elle est vaincue ? demanda Bill Arkwright, qui était resté silencieux depuis le début de la discussion.

– Je vaincrai, déclara calmement Grimalkin. La question ne se pose pas.

– C'est vous qui le dites, insista Arkwright. Vous ignorez à quoi vous aurez affaire. Des démons, de noires entités qu'aucun mortel ne peut défier.

Un sourire sinistre étira les lèvres de la sorcière, dévoilant ses dents pointues :

– S'ils ont de la chair sur des os, je la déchirerai. S'ils respirent, je les étoufferai. Sinon...

Elle eut un haussement d'épaules fataliste :

– ... nous mourrons tous.

Maman soupira et répondit enfin à la question d'Arkwright :

– Si Grimalkin est vaincue, la délégation tout entière sera perdue, et l'attaque de nos troupes, repoussée. Tous ceux qui nous accompagnent seront massacrés, ainsi que les moines et les habitants de Kalambaka. Alors, dans sept ans, l'Ordinn sera libre de franchir le portail et de se matérialiser en tout lieu qu'il lui plaira d'envahir...

Pendant quelques instants, le silence retomba sur l'assemblée. L'énormité de la tâche qui nous incombait et le désastre qu'entraînerait notre défaite nous laissaient tous sans voix. Ce fut Bill Arkwright qui nous tira de notre stupeur :

– Supposons que Grimalkin réussisse. Quant à la suite des évènements, j'ai discuté du déploiement des mercenaires avec leur chef. Ils ne devraient pas avoir de difficulté à tenir les ménades en respect. Mais l'attaque dont il est question ? Comment le reste de notre groupe s'introduira-t-il dans l'Ord ?

– Une seule entrée nous offrira une chance de succès, expliqua maman. À cinquante pas à gauche du portail principal, tout en haut de la muraille, vous verrez une énorme gargouille, un crâne orné de cornes semblables aux bois d'un cerf. Au-dessous s'ouvre un tunnel qui mène à la cour intérieure de l'Ord. C'est la voie d'accès la plus facile, celle qu'emprunte la délégation. Les sorcières de Pendle s'infiltreront par là. Nos mercenaires suivront à cheval pour assiéger les fortifications *intra muros*.

– Et si elles sont trop puissamment défendues ? objecta Arkwright.

– C'est un risque à courir. Une prompte attaque, et tout ira bien. Vous le savez, les serviteurs de l'Ordinn chargés de recevoir la délégation s'éveillent lorsque l'Ord s'est refroidi. Mais leur attention sera occupée par le rituel et, dès que le sang de Tom aura été bu, les sorcières de Pendle devraient leur régler leur compte. Quant aux autres serviteurs de l'Ordinn, ils mettront quelques heures à retrouver toute leur pugnacité. Cela devrait nous donner le temps de parvenir jusqu'à la créature et de la tuer.

Arkwright avait une autre question à poser :

– Et comment nos troupes à l'extérieur sauront-elles que la délégation a accompli sa tâche ?

– Grimalkin se servira d'un miroir.

Le visage de l'Épouvanteur se crispa, mais il ne dit rien. J'intervins à mon tour :

– Une fois à l'intérieur de sa citadelle, comment localiserons-nous l'Ordinn ?

Au regard que maman m'adressa, je compris qu'elle-même l'ignorait :

– On suppose qu'elle se tient le plus loin possible de l'entrée principale, dans un lieu facile à défendre. Elle sera probablement endormie au sommet de l'une des trois tours, ou peut-être dans le dôme qui s'élève derrière. Une fois dans la place, nous nous mettrons à sa recherche, même s'il nous faut encore batailler contre les créatures de l'obscur.

Le tableau était pour le moins inquiétant ; pendant plusieurs minutes, personne ne parla. Nos chances de succès me paraissaient bien minces, et tous – peut-être même maman – semblaient partager ce point de vue. Je pensai alors à la délégation. Ma mère en ferait-elle partie ?

– Et..., dis-je, qui m'accompagnera ?

– Grimalkin, Seilenos et dix autres membres de mon escorte. Le danger sera grand, vous n'en reviendrez pas tous. Mon seul regret est de ne pouvoir aller avec vous. Mais l'Ordinn et ses serviteurs me connaissent comme leur ennemie, je crains qu'ils ne m'identifient aussitôt, ce qui ferait échouer notre plan. Toutefois, j'ai décrit à Grimalkin les pièges que vous risquez de rencontrer. Par exemple, si vous découvrez une table chargée de mets et de vins, surtout n'y touchez pas !

— Ils seront empoisonnés ?

À voix très basse, comme si elle craignait d'être entendue par des oreilles indiscrètes, maman répondit :

— Pas empoisonnés, ensorcelés. Chargés de magie noire. Aussi, ne mangez rien, ne buvez rien ! Celui qui absorbe la nourriture de l'Ordinn ne reverra jamais les siens...

Alice, qui jusque-là s'était tenue silencieuse, s'écria alors :

— Si Tom doit affronter de tels risques, je veux y aller aussi !

Maman secoua la tête :

— Ta place sera à mes côtés, Alice.

— Ce n'est pas juste, protesta-t-elle en sautant sur ses pieds. Je veux être près de Tom.

— Tu resteras loin de lui, jeune fille, trancha l'Épouvanteur.

— Loin de lui ? Sans moi, il serait mort depuis longtemps, et vous le savez tous !

— Assieds-toi ! ordonna maman.

Si furieuse qu'elle crachait chaque mot, Alice rétorqua :

— Je ne m'assiérai pas tant que je n'aurai pas obtenu ce que je veux ! Vous me le *devez* ! Et il y a des choses que *vous-même* vous ignorez !

Maman se leva à son tour et se planta devant elle, de la colère plein les yeux. À cet instant, la toile de la tente claqua. Jusque-là, la soirée avait été calme ; or, le vent s'était brusquement levé. Bientôt, les bourrasques étaient si violentes qu'elles menaçaient d'abattre notre abri de fortune.

Nous sortîmes tous pour observer le ciel.

— Ça commence...

Maman désignait l'horizon :

— Voici le premier présage : le portail va s'ouvrir pour laisser surgir l'Ord.

Au sud, le ciel avait pris une étrange teinte jaune annonciatrice de tempête. Une tempête pas comme les autres...

Nous commençâmes aussitôt nos préparatifs. Nous partirions à l'aube.

Ce fut une nuit sans repos, perturbée par le passage continuel d'animaux en fuite. Une partie de notre campement fut envahie par des hordes de rats affolés. Des oiseaux passaient avec des cris aigus, emplissant la nuit de leurs battements d'ailes.

Une heure environ avant le lever du jour, incapable de dormir, j'allai marcher pour me dégourdir les jambes. Seilenos était là, debout, fixant le ciel. Dès qu'il me vit, il vint vers moi :

– Eh bien, jeune épouvanteur, aujourd'hui, c'est vaincre ou mourir... Ce pays est plein de dangers. Plein de mystères aussi. Reste près de moi, et tout ira bien. Je sais beaucoup de choses. Pose tes questions, j'y répondrai. Les lamias, les élémentaux, ça me connaît. Je t'apprendrai.

Je me souvins alors des bruits qui résonnaient dans le tunnel quand nous fuyions les ménades, Alice et moi. J'interrogeai donc Seilenos sur ces curieux battements.

– Des battements ? Quel genre de battements ? Lents ou rapides ?

– Lents, d'abord, puis leur rythme s'est accéléré, secouant la roche au point de produire un éboulement qui a bien failli nous ensevelir.

– Tu as eu de la chance de t'en sortir vivant, jeune épouvanteur ! C'était des élémentaux, de ceux qui vivent dans les grottes et qu'on appelle les frappeurs. Pour chasser les humains de leur repaire, ils essaient d'abord de les effrayer en produisant ces bruits. Puis ils font tomber les rochers pour les écraser. Si tu entends de nouveau des frappeurs, prends tes jambes à ton cou !

Le conseil était certainement excellent, sauf que, en ces circonstances-là, nous devions aussi faire face aux ménades ! Seilenos me tapota l'épaule avant de se diriger vers un des feux où l'on cuisinait un petit déjeuner. Je restai seul, guettant le lever du soleil.

En réalité, je n'en vis rien car un halo jaunâtre recouvrait le ciel. L'Épouvanteur me rappela que nous devions jeûner. Arkwright lui-même, pourtant peu enclin à se priver de nourriture, se contenta d'une mince tranche de pain. Seilenos, en revanche, montrait un bel appétit et secouait la tête d'un air consterné en nous voyant dédaigner les plats de sanglier et de mouton rôtis.

– Mangez ! nous lança-t-il. Il faut refaire vos forces. Nous ne savons pas ce que l'avenir nous réserve.

– Je vous l'ai déjà dit, grommela l'Épouvanteur. Nous avons nos propres méthodes, dans le Comté. Depuis tant d'années que je fais ce métier, je n'ai encore jamais affronté une créature de l'obscur aussi redoutable. Ce n'est pas le moment d'avoir l'esprit engourdi par la digestion !

Seilenos se contenta de rire tout en enfournant de grosses bouchées de viande arrosées de larges goulées de vin.

Peu de temps avant le départ, Alice me rejoignit, affichant un petit air satisfait :

– Ta mère a changé d'avis : je fais partie de la délégation, en fin de compte.

– Tu es sûre de vouloir m'accompagner ? Tu serais sans doute plus en sécurité auprès de maman. Je ne voudrais pas qu'il t'arrive quoi que ce soit...

– Je ne veux pas qu'il t'arrive quoi que ce soit non plus, répliqua-t-elle. Il vaut mieux pour toi que je reste à tes côtés, crois-moi. Comme ça, on sera ensemble pour ton anniversaire, hein ?

J'approuvai avec un sourire. Mon anniversaire ! Ça m'était sorti de la tête. Nous étions le 3 août, j'avais quinze ans. Mais je sentais qu'Alice avait autre chose à dire, qui la mettait mal à l'aise. Elle se mordillait la lèvre en me jetant des regards de côté. Finalement, elle se décida :

– Nous allons pénétrer dans l'Ord en compagnie de Grimalkin, une sorcière, une meurtrière, une servante de l'obscur. Et tu as utilisé le noir désir, le sort qu'elle t'a donné, pour me sauver. Alors, pourquoi ne pas te servir de la fiole de sang qui tient le Malin à distance ? Qu'est-ce que ça changerait ? Prends-la ! C'est mon cadeau d'anniversaire.

– Arrête avec ça, Alice ! rétorquai-je, irrité. S'il te plaît, ne me rends pas les choses plus difficiles qu'elles ne sont.

Elle garda le silence, et j'eus l'impression de sombrer au fond d'une eau noire. Ma mère elle-même m'obligeait à pactiser avec l'obscur. Elle n'avait pas le choix, j'en étais conscient. Néanmoins, les craintes de l'Épouvanteur me paraissaient plus que jamais fondées.

15

Le surgissement de l'Ord

Nous fîmes route vers le sud, remontant diffici-
lement la marée humaine qui fuyait le danger.
Il y avait des réfugiés partout.

Certains étaient à pied, encombrés de ballots
et d'enfants. D'autres tiraient ou poussaient des
carrioles sur lesquelles ils avaient entassé leurs
biens. Beaucoup nous lançaient des avertissements
pressants, nous invitant à décamper avec eux.
Terrifiés, désespérés, ils se hâtaient dans l'espoir de
mettre leur famille en sécurité.

Nous marchâmes toute la matinée à travers un
paysage aride, sous un ciel d'un jaune maladif. Nous
avions observé des tourbillons noirs, montés de

l'horizon, qui couraient vers le nord. Par chance, ils étaient passés loin de nous. À présent, le vent était tombé. L'air devenait de plus en plus chaud, lourd, oppressant. Je portais mon bâton ainsi que mon sac.

L'escorte de maman chevauchait autour de son chariot ; les sorcières de Pendle venaient ensuite, menées par Grimalkin. Alice cheminait près de moi, l'Épouvanteur nous suivait en compagnie de Bill Arkwright, les trois chiens sur ses talons. À une centaine de mètres du convoi, les mercenaires à cheval formaient l'arrière-garde.

Alice et moi, plongés dans de sombres pensées, échangions à peine quelques mots. Au bout d'un moment, Bill Arkwright vint se placer à ma droite.

– Eh bien, Tom Ward, dit-il, que penses-tu de ce pays ? Aimerais-tu y vivre ?

– Je voudrais retourner dans le Comté, soupirai-je. Nos bois, nos collines, nos prairies me manquent ; le froid et l'humidité eux-mêmes me manquent !

– Je comprends ça. La terre, ici, est tellement sèche ! Mais, si j'en crois ta mère, nous aurons de la pluie avant longtemps.

Il faisait allusion au déluge qui suivrait le surgissement de l'Ord.

– J'ai quelque chose à te demander, Tom, reprit-il. S'il m'arrivait malheur, prendrais-tu soin de mes chiens ? John Gregory ne voudra jamais d'eux à

Chipenden, ils ne feraient pas bon ménage avec le gobelin. Mais tu pourrais leur trouver une bonne maison, n'est-ce pas ?

– Certainement !

– Parfait ! Espérons qu'on n'en arrivera pas là, et que nous serons bientôt de retour chez nous. Cependant, ce qui nous attend est la pire épreuve que nous ayons jamais affrontée, j'en ai peur ! Aussi, au cas où nous ne nous reverrions pas, serrons-nous la main en gage de notre amitié.

Il me tendit la main, et je la lui pressai. Puis, saluant Alice d'un petit signe de tête, il reprit sa place derrière moi. La tristesse m'envahit ; son geste avait un goût d'adieu.

Mais je n'en avais pas fini avec les au-revoir. À son tour, l'Épouvanteur s'approcha. Alice s'écarta alors et alla rejoindre Grimalkin, qui marchait maintenant juste derrière nous.

– Comment te sens-tu, petit ? me demanda mon maître.

– Nerveux et terrifié. J'ai beau m'appliquer à bien respirer, ça ne m'aide pas beaucoup.

– Ça va aller mieux. Continue, et rappelle-toi tout ce que je t'ai enseigné. Nous n'avons qu'une faible idée des dangers qui nous attendent.

Il me tapota l'épaule avant de s'éloigner, comme s'il voulait éviter de se trouver trop près d'Alice.

Peu de temps après, nous fîmes une courte halte, et j'en profitai pour noter dans mon cahier ce que Seilenos m'avait appris sur les frappeurs. Occuper mes mains et mon esprit me calmait un peu, et je ne devais pas négliger mon apprentissage sous prétexte que la situation était tendue.

Comme nous repartions, j'eus une autre visite, une de celles dont Alice et moi nous serions volontiers passés. Mab et ses deux sœurs au nez crochu s'approchèrent de nous.

Avec un regard de biais, Mab me lança :

– Eh bien, Tom ? La fille qui marche près de toi est vivante, à ce qu'il me semble ! Elle devrait pourtant être morte, cette Alice Deane... J'ai vu ce qui lui arrivait. J'ai vu la lamia la vider de son sang et déchirer sa chair à coups de dents. Seul un sort de magie noire pouvait la sauver. Ça, je ne l'avais pas vu venir ! Qu'est-ce que tu as fait, Tom ? Tu as frayé avec l'obscur, hein ? Qu'est-ce qu'il en pense, John Gregory ?

Alice repoussa Mab si violemment que la jeune sorcière tituba et faillit tomber :

– Les choses sont déjà assez pénibles sans que tu en rajoutes avec tes questions stupides ! Fiche le camp ! Laisse Tom tranquille !

Mab se ramassa comme un chat en colère, prête à lacérer à coups d'ongles le visage de son ennemie ;

je m'interposai aussitôt. Mab recula avec un haussement d'épaules. Un mauvais sourire lui étira la bouche :

– Ça va, je te laisse ! Pense à ce qui a été fait et ce qui a été dit ! Tu es proche de l'obscur, Tom. Plus proche que tu l'as jamais été...

Sur ces mots, elle s'éloigna, entraînant ses sœurs. Alice et moi continuâmes de cheminer côte à côte en silence. Qu'aurions-nous pu ajouter ? Nous savions l'un et l'autre que je m'étais compromis avec l'obscur. Encore une chance que l'Épouvanteur n'ait pas surpris cette conversation !

En fin de matinée, le temps changea. Le vent nous siffla de nouveau aux oreilles. Les rafales, la poussière et la chaleur rendaient notre progression de plus en plus pénible. Soudain Alice pointa le doigt :

– Regarde ça, Tom ! As-tu déjà vu une chose pareille ?

D'abord, je ne distinguai rien. Puis une forme noire et menaçante se profila contre le ciel.

– Qu'est-ce que c'est ? demandai-je. Une falaise ? Un alignement de collines ?

Alice secoua la tête :

– C'est un nuage, Tom. Et d'une couleur des plus étranges ! Pas un phénomène naturel, tu peux me croire. Je n'aime pas ça du tout.

Dans des circonstances normales, une telle masse nuageuse aurait annoncé un violent orage accompagné de trombes d'eau. Or, à mesure que nous approchions, je remarquai que ses bords s'incurvaient comme ceux d'un énorme plat noir ou d'un bouclier. D'un coup, le vent tomba, et la température baissa de façon alarmante. Quelques instants plus tôt, nous étions accablés de chaleur. À présent, nous frissonnions de froid autant que de peur. Une obscurité crépusculaire nous enveloppa, plongeant nos visages dans l'ombre.

Je regardai autour de moi : Alice, Arkwright, les sorcières, tous marchaient comme au ralenti, le dos courbé, oppressés par cette noirceur qui pesait sur nous. Seul l'Épouvanteur gardait la tête haute.

Bien qu'il n'y eût plus un souffle de vent, l'effrayant nuage tourbillonnait sur lui-même, à croire que quelque géant invisible le remuait avec un énorme bâton. Puis je perçus une sorte de gémissement strident. Alors, à l'horizon, monta un gigantesque monolithe irradiant une vive lumière orangée.

– C'est ce que maman nous a décrit, Alice, m'exclamai-je. C'est la colonne de feu ! L'Ord doit être à l'intérieur.

Nous étions bien à trois miles de la stèle flamboyante, pourtant je sentais sa chaleur sur mon front malgré le froid qui nous entourait. Nous marchions vers un immense tourbillon écarlate, une puissante artère reliant la terre au ciel, animée de pulsations infernales. Des éclairs fourchus jaillissaient de sa base, zigzaguaient en lignes blanches et bleues, telles des branches déchiquetées, jusqu'au nuage d'encre qui le surplombait. C'était une vision terrible, défiant l'imagination. Je me disais que, d'une minute à l'autre, tout allait exploser et nous engloutir dans un séisme de fin du monde.

Bien qu'enracinée en un point fixe, la colonne tournoyait sur elle-même à une vitesse folle. Des champignons de poussière se formaient à sa base, et son sommet se mélangeait à la nuée, au-dessus. La plainte aiguë montait, devenait un rugissement rauque. Une odeur forte, d'abord indéfinissable, pénétra mes narines ; j'en sentais le goût âcre sur ma langue.

– Ça pue la chair grillée ! gémit Alice. Et ces cris, on dirait ceux des damnés qui brûlent en Enfer !

En fait, mes sens m'indiquaient un phénomène inverse : ce n'était pas une crémation, mais une création ; de la chair renaissant du feu. Si ce que maman m'avait dit était exact, l'Ordinn et ses serviteurs entraient dans notre monde au travers des flammes. Le portail était un brasier incandescent.

Peu à peu, la sensation de chaleur sur ma peau diminua ; le maelström furieux s'apaisa, les couleurs éblouissantes se ternirent, l'écarlate vira lentement au bronze.

Alice pointa un doigt fébrile en balbutiant :

– On distingue une énorme construction ! Regardez ! C'est l'Ord !...

En effet, je voyais le tourbillon ralentir, changer de consistance, devenir transparent, laissant apparaître la silhouette de la citadelle qu'il contenait, la sinistre résidence de l'Ordinn.

Trois flèches spiralées, de taille égale, en jaillissaient, si hautes qu'elles semblaient percer le ciel. Derrière s'élevait le dôme dont maman m'avait parlé. Le dôme et les tours surplombaient un édifice massif évoquant une immense cathédrale, plus grande et plus magnifique encore que celle de Priestown. Mais, alors qu'il faut plusieurs décennies pour construire de tels bâtiments, celui-ci semblait s'être matérialisé en l'espace d'un instant.

La colonne de feu s'était éteinte. Nous continuions notre progression vers la forme noire, qui nous dominait telle une bête gigantesque et terrifiante. Malgré l'obscurité qui s'épaississait autour de nous, une clarté irréelle émanait de l'Ord, une lueur verdâtre, de plus en plus vive. Je distinguais les détails de la structure. Chaque flèche spiroïdale était percée de hautes et étroites ouvertures en arceaux, semblables à celles des églises. Aucune vitre ne les fermait, et on voyait danser derrière des flammes rougeoyantes.

Blême de terreur, Alice murmura :

– D'horribles créatures bougent là-dedans. Des êtres venus de l'Enfer...

– Ce n'est qu'un effet de ton imagination, dis-je. On est encore trop loin pour se rendre compte.

En dépit de cette sage affirmation, je distinguais bel et bien des mouvements, à certaines embrasures, des formes mouvantes et spectrales. Je préférai ne pas m'interroger sur leur nature. Puis mon regard fut attiré par l'entrée principale, la plus large des portes menant à l'intérieur caverneux de la structure. Elle était très haute, en arc de cercle. Quoique brillamment éclairée, elle ouvrait sur des ténèbres si denses que l'effroi me saisit : l'Ord avait surgi des profondeurs de l'obscur, et ce qui s'y tenait embusqué défiait l'imagination.

Nous étions tout près, à présent. La citadelle se dressait devant nous, colossal bloc de noirceur contre le noir du ciel.

Un ordre claqua dans mon dos. Je me retournai. Les guerriers s'étaient arrêtés. Ils manœuvraient pour se disposer en un croissant dont les deux extrémités pointaient vers l'Ord. Avec leurs cottes de mailles scintillantes et leurs lourdes épées, ils paraissaient redoutables. Ils avaient rempli à la perfection la première de leurs tâches : tenir les ménades en respect. Maintenant, ils s'apprêtaient à affronter un danger autrement redoutable. Ils allaient pénétrer dans la forteresse pour y combattre des créatures démoniaques.

Nous avançâmes encore. Il avait été convenu que les mercenaires attendraient là jusqu'au moment d'attaquer. J'examinai les murailles de la citadelle, et je finis par localiser l'entrée secondaire que maman m'avait décrite, celle que surplombait un crâne de gargouille orné d'énormes bois de cerf. C'était par là que notre délégation s'introduirait. Si nous échouions, les troupes de l'Ordinn déferleraient par l'ouverture principale et ravageraient le pays.

Soudain, je sentis une goutte sur mon front, une autre, une autre encore. Presque aussitôt, la pluie chaude qui tombait droit dans l'air immobile se transforma en déluge. Elle tambourinait sur le sol sec et dur ; des nuages de vapeur s'élevèrent de l'Ord, une image incongrue me vint à l'esprit : celle de quelque invisible forgeron jetant de l'eau sur les braises de son foyer après avoir achevé sa journée de travail.

Pendant un long moment, une brume dense roula autour de nous, réduisant considérablement la visibilité, tandis qu'un silence surnaturel s'installait. Puis Grimalkin émergea du brouillard, accompagnée de Seilenos et des hommes qui compléteraient la délégation.

Maman vint vers moi et me prit par les épaules d'un geste rassurant :

– Le moment est venu. Sois courageux, Tom. Ce sera difficile, mais tu as en toi la force de réussir.

– Les ménades n'ont-elles pas prévenu l'Ordinn que nous approchions ? Et qu'une armée de mercenaires nous appuyait ?

Maman secoua la tête :

– Non, elles ne communiquent pas avec l'Ordinn. Elles se contentent d'attendre son arrivée et le massacre qu'elle provoque. Elles se repaissent alors des morts et des mourants.

– Mais si les créatures qui sont déjà éveillées à l'intérieur de la citadelle nous ont vus ? Si elles ont deviné nos intentions ?

– Même si notre escorte est plus importante qu'à l'ordinaire, elle ne représente pas une nouveauté : une troupe accompagne toujours la délégation. Pour les guetteurs de l'Ord, notre armée de mercenaires n'est que de la chair et des os bons à être dévorés. Ils ne se doutent de rien.

Soudain, maman me serra fort contre elle. Quand elle me relâcha, je vis des larmes dans ses yeux. Elle voulut parler, aucun mot ne franchit ses lèvres.

Quelqu'un sortit alors de l'ombre, derrière elle. Mon maître. Posant une main sur mon bras, il m'entraîna à part :

– Eh bien, petit, le sort en est jeté. Je n'aime guère les méthodes de ta mère ni la compagnie qu'elle s'est choisie. Malgré tout, elle est du côté de la lumière ; je sais qu'elle agit de son mieux pour le bien de tous. Quoi que tu aies à affronter, souviens-toi de ce que je t'ai enseigné, sois sincère envers toi-même. Et, surtout, sache que tu es le meilleur apprenti que j'aie jamais eu.

Ses paroles me réconfortèrent, et je le remerciai. Il me serra la main et, à l'instant où j'allais m'éloigner, il ajouta, en désignant Alice :

– Une dernière chose : j'ignore pourquoi ta mère a permis à cette petite sorcière de t'accompagner. Elle la croit capable de te protéger, semble-t-il. J'espère que c'est le cas. Toi, n'oublie pas quelles sont ses origines. Elle est née du Diable et d'une pernicieuse. Elle n'est pas l'une des nôtres et ne le sera jamais, quoi qu'elle fasse. Tâche de toujours t'en souvenir, petit !

Sa défiance opiniâtre envers ma seule amie m'était douloureuse, mais je ne trouvai rien à répliquer.

J'acquiesçai d'un signe de tête, pris mon sac et mon bâton. Puis je rejoignis Grimalkin, qui m'attendait avec Alice et les autres, et nous nous enfonçâmes dans le brouillard, en direction de l'Ord.

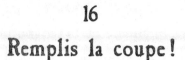

16
Remplis la coupe !

Je marchais, Grimalkin à ma droite, Alice à ma gauche. Un regard en arrière me confirma que Seilenos et les neuf guerriers choisis par maman nous suivaient, sombres silhouettes presque indistinctes dans la brume épaisse.

Seul le chuintement de nos semelles sur le sol boueux perturbait le silence. Il pleuvait encore, moins fort cependant.

Puis – bien trop tôt à mon goût – les murailles furent devant nous, énormes blocs de pierres luisantes d'eau, solides, formidables. Comment avaient-elles traversé ce brasier infernal pour surgir dans notre monde ? Ça paraissait impossible. Nous longeâmes le mur jusqu'à la petite entrée. Grimalkin passa la première sous la gueule de la gargouille et pénétra dans l'Ord avec détermination. Une galerie s'ouvrait devant nous, mais la sorcière franchit une autre porte, sur la gauche, et nous lui emboîtâmes le pas.

Nous débouchâmes dans une salle si vaste que la voûte, au-dessus de nos têtes, se perdait dans l'obscurité. Une faible lueur baignait les lieux, venue on ne savait d'où car aucune torche ne les éclairait. Sur une table recouverte d'une nappe de soie rouge, des plats en argent ou en bronze contenaient des fruits et de la viande. Treize sièges à haut dossier, taillés dans l'ivoire le plus blanc et rembourrés de la même soie que la nappe, attendaient les convives. Devant chaque siège était posé un gobelet en or, délicatement ciselé et rempli jusqu'au bord de vin écarlate.

La lumière monta, révélant autour de la pièce une colonnade. Le sol de mosaïque représentait des serpents entrelacés. Comme je suivais des yeux le méandre des motifs, j'eus un sursaut de surprise : au milieu de la salle béait un puits noir. Cette découverte m'emplit d'effroi : qu'y avait-il au fond ?

Nous nous assîmes, mais, obéissant aux instructions de maman, nous ne touchâmes ni à la nourriture ni au vin. Les sièges étaient tous disposés sur le même côté, de sorte que nous faisions face au puits.

Des pas résonnèrent alors dans les profondeurs, d'abord lointains, puis de plus en plus proches. Quelqu'un montait des marches. Une tête émergea lentement. Une silhouette sombre apparut et prit pied sur le sol de mosaïque. C'était un guerrier caparaçonné de métal noir. Sa main gauche tenait une lourde épée, sa main droite, une coupe en cristal.

Il marcha vers nous à pas mesurés, et je profitai de ces quelques secondes pour l'examiner. Il n'y avait pas d'ouverture dans son heaume noir pour la bouche ou le nez. Seules deux minces fentes indiquaient la place des yeux. Mais je n'y discernai aucun regard, rien qu'un vide ténébreux. Sa cotte de mailles était noire, comme toute son armure, et les pièces de métal recouvrant ses orteils se prolongeaient en griffes acérées.

Il s'arrêta devant la table et, quand il parla, mon cœur se contracta d'effroi. Sa voix, forte, glaciale, arrogante, avait des consonances métalliques.

Pourquoi ne mangez-vous pas les mets préparés pour vous restaurer ? Pourquoi ne buvez-vous pas le vin généreusement versé ?

Ses reproches résonnèrent longtemps entre les murs de pierre.

Ce fut Grimalkin qui prit la parole. D'un ton calme et digne, elle déclara :

– Nous vous remercions de votre hospitalité, mais nous n'avons ni faim ni soif.

C'est à vous de décider. Néanmoins, nous exigeons quelque chose en échange de la nourriture offerte. Emplissez cette coupe, afin que notre maîtresse puisse vivre !

En prononçant ces mots, le guerrier noir tendit le calice à la sorcière.

– Avec quoi le remplirons-nous ? demanda-t-elle.

Le personnage en armure ne répondit pas tout de suite. Tournant lentement la tête, il nous observa tour à tour. Épouvanté, je sentis ses yeux sans regard se poser sur moi :

Ma maîtresse a besoin de se nourrir. Il lui faut le sang chaud du plus jeune d'entre vous !

Il pointa son épée vers moi :

Sacrifiez sa vie ! Emplissez la coupe du sang jailli de son cœur !

Je me mis à trembler de tous mes membres. Malgré ce que maman m'avait dit, malgré l'assurance que Grimalkin combattrait pour moi, le doute envahit mon esprit ; une terreur froide me gela jusqu'aux os. Allais-je mourir ici ? Le Malin avait-il dit vrai, en fin de compte ? Maman avait-elle eu depuis le début l'intention de me sacrifier ? Peut-être son lent retour à sa nature originelle avait-il chassé de son cœur tout amour humain pour son fils ?

Grimalkin répliqua d'une voix impérieuse :

– C'est trop demander ! Nous exigeons le droit de combattre !

C'est votre droit, en effet. Mais ne courez pas un tel risque à la légère. Si je suis vainqueur, vos vies à tous paieront le prix de votre défaite. Est-ce vraiment ce que vous voulez ?

Grimalkin inclina la tête en signe d'assentiment. Aussitôt, tout devint noir. J'entendis autour de moi des soupirs et des chuchotements. Puis la lumière revint. Le guerrier était debout au centre de la mosaïque, dans une posture d'attaque. Il ne tenait plus la coupe. De la main droite il brandissait une lourde épée, de la gauche, un fléau : un manche de bois muni d'une chaîne à laquelle était accrochée une masse sphérique hérissée de pointes.

Grimalkin sortit de leurs fourreaux deux longues lames et sauta par-dessus la table avec la souplesse d'un chat. Elle entama aussitôt autour de l'être en armure une espèce de danse, lente et menaçante, un mince sourire étirant ses lèvres. Elle aimait se battre. Elle aimait exercer ses talents contre un adversaire valeureux, et elle venait d'en trouver un à sa mesure. Grimalkin ne craignait pas la mort. Mais, si elle était vaincue, nous péririons tous.

Le guerrier noir s'avança en faisant tournoyer son fléau. La lourde sphère siffla dans les airs. Si elle frappait la tête de la sorcière, elle la lui arracherait d'un coup.

Or, Grimalkin n'était pas la meurtrière attitrée du clan des Malkin pour rien. Ajustant son attaque à la seconde près, elle pénétra dans le cercle dessiné par la boule et visa l'une des fentes du heaume. Sa lame dérapa sur le métal, manquant sa cible d'un cheveu.

L'épée du guerrier était aussi rapide que les lames de la sorcière. Ils échangèrent des estocades furieuses, mais elle restait trop près de lui pour que le fléau puisse l'atteindre. Par deux fois il tenta de lui transpercer la poitrine. Virevoltant comme une toupie, elle esquiva avec une parfaite maîtrise de ses mouvements. Sa lame s'abattit à plusieurs reprises sur son adversaire sans réussir à entamer l'armure. Il paraissait peu probable qu'elle survive au combat, encore moins qu'elle le remporte. Quelles chances avait-elle contre un guerrier aussi solidement protégé ? Ses bras et ses jambes à elle étaient nus, sa chair, vulnérable.

Une pensée me frappa alors : elle avait renoncé à deux choses qui lui auraient donné l'avantage. Elle m'avait fait cadeau de la dague magique et du sort qu'elle aurait pu employer à cet instant.

Pourquoi avoir consenti un tel sacrifice à mon profit ?

Grimalkin reculait à présent vers la table sans cesse de tourbillonner. L'inquiétude me serra la gorge. Sa tactique me paraissait mal adaptée. À cette distance, le guerrier pourrait la frapper en pleine tête. Il se mit à faire tourner son fléau de plus en plus vite, se préparant à asséner un coup fatal. Grimalkin avança alors comme si elle acceptait d'être assommée. Je crus que mon cœur s'arrêtait de battre. Dans une seconde, ce serait fini.

Or, quand la sphère mortelle s'abattit, la victime visée n'était plus en dessous. La boule s'écrasa sur la table, envoyant plats et gobelets valdinguer sur le sol avec fracas. Aussitôt, Grimalkin bondit et dirigea la pointe de son arme droit vers l'une des fentes du heaume. La lame s'enfonça dans l'œil invisible de l'ennemi, et un hurlement de douleur résonna sous la voûte.

Aussitôt, les ténèbres nous enveloppèrent, ainsi qu'un froid d'outre-tombe : un acte de magie noire venait de s'accomplir. Pris de vertige, je cherchai le rebord de la table pour me retenir. L'horrible cri s'éteignit peu à peu ; un silence irréel retomba sur la grande salle. Alors, du fond de l'obscurité, deux yeux flamboyants émergèrent du puits, qui nous fixaient.

Soudain, la lumière revint. Nous étions tous de nouveau assis devant la table, bien que je n'aie aucun souvenir d'avoir regagné mon siège. Les plats et les gobelets que j'avais vus dégringoler sur le sol semblaient n'avoir jamais bougé. Et Grimalkin avait repris sa place.

Le guerrier en armure noire était debout devant nous, tenant d'une main la coupe de cristal et de l'autre sa longue épée. Était-ce le même homme, revenu à la vie par quelque sortilège ? On aurait pu croire que son combat avec la sorcière n'avait jamais eu lieu.

Ma maîtresse a besoin de se nourrir, déclara-t-il en pointant l'épée vers moi. *Elle doit boire le sang chaud du garçon. Emplissez la coupe !*

En voyant l'effrayant personnage lever le récipient étincelant, je sentis mon cœur s'affoler dans ma poitrine. Triomphante, Grimalkin me chuchota à l'oreille :

– Nous avons gagné la première manche, petit ! Il n'exige plus ta vie, il se contentera d'un peu de ton sang. C'est exactement ce que nous voulions.

Le noir guerrier vint déposer la coupe sur la nappe de soie écarlate. Grimalkin tira une courte dague d'un des fourreaux et se tourna vers moi :

– Relève ta manche, mon garçon. La droite...

J'obéis avec des doigts tremblants.

– Maintenant, soulève la coupe et place-la sous ton coude.

Je tendis mon bras nu comme elle me l'ordonnait. Grimalkin m'entailla légèrement la peau, presque sans douleur ; le sang se mit à goutter. Il se tarit alors que la coupe n'était qu'à moitié pleine.

– Encore une petite coupure, dit la sorcière, et ce sera fini.

Je retins ma respiration en sentant de nouveau la lame pénétrer ma chair. Cette fois, un flot pourpre jaillit, et la coupe devint étonnamment lourde dans ma main. Dès qu'elle fut remplie à ras bord, mon sang cessa de couler. Et il ne resta, sur ma peau pâle, que deux minces lignes rouges.

La sorcière prit la coupe et la reposa sur la table ; le guerrier s'en empara et repartit vers le puits. Nous le regardâmes s'y enfoncer jusqu'à ce qu'il ait complètement disparu. Nous attendîmes que le bruit de ses pas s'éteigne au loin, craignant, si nous bougions trop tôt, qu'il nous entende et rebrousse chemin. Il était essentiel que mon sang soit remis à l'Ordinn. Les minutes passaient lentement. Enfin, Grimalkin sortit de sa manche un petit miroir afin d'annoncer notre succès.

Elle n'en eut pas le temps : l'obscurité nous enveloppa de nouveau, accompagnée d'un froid intense. De nouveau les yeux étincelants nous fixèrent, puis s'avancèrent vers nous. Des serviteurs de l'obscur avaient-ils percé nos intentions ?

Soudain, je pris conscience que, malgré le profond silence qui régnait autour de nous, d'étranges personnages se pressaient dans la salle. Les hommes étaient très grands, avec des visages étroits, de longs nez et de longs mentons. Leurs yeux caverneux, leurs haillons pendouillant telles des toiles d'araignée autour de leurs corps maigres, les épées à lame courbe accrochées à leur ceinture leur donnaient un aspect effrayant. Une ancienne comptine du Comté me revint en mémoire :

> *Nez crochus et mentons pointus*
> *Sont de l'obscur des traits connus.*

Ces êtres étaient des démons.

Contrairement à eux, les femmes étaient gracieuses, avec des corps aux courbes voluptueuses. Leur peau luisait comme si elle venait d'être frottée d'huile. Elles dansaient au rythme lointain de tambours invisibles. Tandis qu'elles évoluaient, les hommes les entouraient, immobiles, à demi dissimulés dans l'ombre des piliers, et promenant autour d'eux des regards d'affamés.

J'observai mes compagnons. Tous semblaient fascinés par les danseuses, dont les mouvements avaient quelque chose d'irréel. Sans doute provoquaient-ils une sorte d'enchantement. Grimalkin, le miroir à la main, restait pétrifiée. Si proches du succès, allions-nous être tenus en échec au dernier moment ?

Je m'aperçus soudain que plusieurs guerriers de l'escorte de maman dévoraient la viande et buvaient avidement le vin contenu dans les gobelets d'or. Ils avaient pourtant été prévenus ! Et Seilenos faisait de même. L'épouvanteur grec ne possédait ni les connaissances ni la détermination de John Gregory. Cela risquait fort de le mener à sa perte.

Je m'intéressai de nouveau à la danse des démons femelles. Elles virevoltaient à présent deux par deux, suivant les entrelacs des mosaïques aux motifs de serpents. Les tambours invisibles battaient plus fort, plus vite. Leur rythme frénétique me donnait envie de me lever et de taper des pieds en cadence. Un coup d'œil sur Alice me révéla qu'elle résistait au même besoin, accrochée des deux mains au rebord de son siège. Respirant profondément, je combattis ce désir impérieux de rejoindre les danseuses jusqu'à ce qu'il s'apaise enfin.

Je découvris alors qu'un homme avait cédé à l'appel des démones : Seilenos ! Quelques minutes plus tôt, il mangeait la nourriture interdite. Maintenant, il participait à la ronde infernale. Je le perdis de vue un instant. Quand il réapparut, une créature femelle avait collé la bouche à son cou, planté les dents dans sa chair. Ses yeux écarquillés de terreur roulaient follement dans ses orbites. Son corps se convulsait. Ses vêtements déchirés laissaient voir de profondes blessures dans son dos. La démone le vidait de son sang. Elle l'entraîna parmi le tourbillon des danseuses, où il disparut.

Je remerciai intérieurement l'Épouvanteur de m'avoir enseigné à jeûner avant d'affronter l'obscur. Seilenos allait payer son penchant pour le vin et la bonne chère de sa vie, peut-être même du salut de son âme.

Alors, à ma droite, je sentis le prodigieux effort de Grimalkin pour échapper aux noirs sortilèges qui nous enchaînaient. Lentement, elle porta le miroir devant sa bouche. Elle y souffla son haleine et, le visage crispé de concentration, écrivit sur la buée avec son index. Elle donnait à nos renforts, rassemblés à l'extérieur, le signal de l'attaque.

17

Les élémentaux ardents

L es danseuses continuaient de tourbillonner dans une transe frénétique. Peu à peu, cependant, elles ralentirent. Les tambours se turent. Les démons restèrent immobiles, comme pétrifiés, dans l'état où nous étions quelques minutes plus tôt. Certains penchaient la tête ; il me sembla qu'ils écoutaient.

J'entendis alors un lointain martèlement de pieds. Le bruit se rapprocha. Puis les portes s'ouvrirent avec fracas, et les sorcières de Pendle firent irruption dans la grande salle. Leurs couteaux à la main, une expression féroce sur le visage, elles étaient prêtes à en découdre. Il y avait des Mouldheel parmi elles, mais je ne vis ni Mab ni ses sœurs. Cela m'étonna. Pourquoi ne participaient-elles pas à l'offensive ?

De nouveau, Grimalkin sauta par-dessus la table pour se lancer dans la bataille. Les démons avaient-ils renoncé à faire usage de leurs sortilèges ? Étaient-ils simplement impuissants contre l'assaut furieux des sorcières ? Toujours est-il que celles-ci maniaient leurs lames avec une redoutable efficacité, tranchant de droite et de gauche. Leurs ennemis tentèrent de résister à coups d'épée. Bientôt, plusieurs d'entre eux gisaient à terre, morts, leur sang dessinant de sombres arabesques sur le sol de mosaïque.

Ce fut si rapide que mes compagnons et moi n'eûmes pas le temps de participer. Le combat était à peine engagé que les démons reculaient vers le puits. C'était une retraite parfaitement organisée. Les femmes s'échappèrent les premières, protégées par une ultime résistance des hommes. Quelques instants plus tard, il ne restait que les sorcières, fouillant du regard les marches qui s'enfonçaient dans les ténèbres.

Je sentis la main d'Alice se refermer sur mon bras tandis que je m'avançais pour les rejoindre. Mais elles abandonnaient déjà le puits.

– Les poursuivre serait trop dangereux, me lança Grimalkin. Ils ont abandonné la lutte bien trop facilement, ne nous laissons pas abuser. Ils espèrent nous entraîner en bas pour nous tendre une embuscade. Nous allons prendre le chemin que nous a indiqué ta mère, petit. Je vous suggère d'attendre ici, jusqu'à l'attaque des mercenaires. Ils ne vont pas tarder à s'introduire dans la citadelle.

Sur ces mots, elle entraîna la horde de sorcières, échevelées et couvertes de sang, vers la cour intérieure.

– Mieux vaut faire comme elle dit, me murmura Alice, sans lâcher mon bras. Nous les suivrons dans un petit moment...

Les survivants de l'escorte de ma mère approuvèrent de la tête. Sans leur chef, ils semblaient désemparés. Les corps de Seilenos et de trois d'entre eux gisaient à terre dans une mare de sang, leurs yeux morts fixant la voûte obscure.

Jetant un regard inquiet vers l'ouverture du puits, Alice reprit :

– Éloignons-nous de ce trou. Maintenant que les sorcières sont parties, les démons pourraient revenir...

La remarque nous parut judicieuse, et nous reculâmes prudemment jusqu'à la porte ouverte. Au bout d'une dizaine de minutes, nous entendîmes un bruit de galopade. Dans un grondement de tonnerre, les cavaliers s'engouffrèrent par le tunnel et foncèrent vers la cour. Leur défilé dura un bon moment. Lorsque les derniers bruits de sabots se furent éloignés, nous quittâmes la salle pour nous élancer derrière eux.

Je lançai de brefs coups d'œil en arrière : pas trace de maman, de l'Épouvanteur ni de Bill Arkwright. Ils auraient pourtant dû être là.

Nous n'avions pas fait cinquante pas que la galopade retentissait de nouveau : les mercenaires faisaient demi-tour ! Battaient-ils déjà en retraite ? Les choses avaient-elles mal tourné ?

Une monture sans cavalier nous frôla, l'œil fou, l'écume à la bouche, manquant de renverser Alice. Les hommes à cheval grimaçaient de terreur, beaucoup avaient perdu leurs armes. Pas de doute, ils fuyaient. Qu'est-ce qui avait pu mettre en déroute des guerriers de leur trempe ?

Leur affolement était tel qu'ils menaçaient de nous écraser au passage. Je poussai Alice dans un renfoncement du mur et lui fis un rempart de mon corps. Le grondement de sabots était assourdissant. Ce flot d'hommes et de bêtes affolés semblait ne devoir jamais s'arrêter. Enfin, le calme revint ; je ramassai mon sac et mon bâton, que j'avais laissés tomber, et m'écartai du mur :

– Ça va, Alice ?

Elle me fit signe que oui, puis demanda :

– Où sont passés les hommes de la délégation ? Enfin, les survivants...

Je comptai trois morts de plus, étendus dans le tunnel ; les chevaux les avaient piétinés. Aucune trace des trois derniers. Et ma mère, John Gregory et Bill Arkwright ? Avaient-ils été emportés, eux aussi, dans la débandade ? Une boule dans la gorge, j'appelai :

– Maman ! Maman !

Seul un silence de mauvais augure me répondit.

– Suivons les sorcières, suggéra Alice. Ta mère et les épouvanteurs ont peut-être été retardés. Peut-être n'étaient-ils même pas dans le tunnel quand les chevaux ont surgi.

J'acquiesçai, et nous nous mîmes en route. Mon inquiétude pour ma mère n'avait d'égale que la peur de ce qui nous attendait. Quoi que ce fût, une centaine de cavaliers aguerris l'avaient fui dans un complet affolement. Était-ce l'Ordinn elle-même ? Avait-elle déjà bu mon sang ? Était-elle déjà réveillée ?

Comme nous approchions du bout du tunnel, des tourbillons de brume nous enveloppèrent. Une terreur inconnue me tordit le ventre. Des vagues de froid s'abattaient sur moi, cherchant à me faire reculer.

– Tu sens ça, Tom ? souffla Alice.

Je fis signe que oui. Face à l'obscur, un épouvanteur doit résister à la peur, car les ennemis de la lumière se nourrissent de cette peur. Je me forçai à penser à des épisodes heureux de mon enfance. Je me revis, assis sur les genoux de papa ou de maman, tandis qu'ils me racontaient une histoire. Et nous continuions d'avancer.

Nous émergeâmes enfin du brouillard. Le mur intérieur de l'Ord était devant nous, ses énormes pierres encore fumantes. Sur les pavés de la cour gisaient des chevaux et des cavaliers, rigides, les yeux écarquillés sur une vision d'épouvante.

– Qu... qu'est-ce qui les a tués ? balbutiai-je. Ils ne portent aucune blessure...

– Ils sont morts de peur, Tom, murmura Alice. La peur a liquéfié leur esprit et stoppé les battements de leur cœur. Mais regarde, là ! Une entrée !

Juste devant nous, encastrée dans la muraille, une large porte en fer était ouverte. Derrière, il n'y avait qu'un vide ténébreux. Le désespoir me submergea ; un seul pas en avant m'était impossible, je n'en trouvais pas la force. Tout ce voyage pour rien ! Les mercenaires étaient morts ou en fuite ; nous n'avions plus aucune chance de détruire l'Ordinn.

Nous restions immobiles, les yeux fixés sur l'ouverture. Que pouvions-nous faire, seuls ? De combien de temps disposions-nous encore avant le réveil de l'Ordinn ?

Je ressentais les effets de la magie noire utilisée contre les mercenaires, dont les relents traînaient dans la cour.

– Je ne peux pas entrer là-dedans, Alice, dis-je. Je n'en ai ni la volonté ni le courage...

Elle se contenta de hocher la tête d'un air anxieux. Sans oser nous l'avouer, nous devinions que les sorcières de Pendle nous avaient précédés dans la citadelle. Mais nous étions incapables d'avancer. Je ne cessais de m'interroger sur le sort de maman et des autres. Je me sentais vidé, sans force.

Soudain, un bruit de bottes, derrière nous, m'alerta. Je me retournai. Une haute silhouette encapuchonnée, portant un sac et un bâton, surgit du tunnel. C'était l'Épouvanteur. Bill Arkwright le suivait, la mine résolue. Ses chiens n'étaient pas à ses côtés.

Arkwright nous salua d'un signe de tête, mais mon maître nous dépassa sans nous adresser un regard. Arrivé au seuil de la porte, il pivota sur ses talons et m'interpella, les yeux flamboyants :

– Ne lambine pas, petit ! Il y a du travail, et il faut bien que quelqu'un le fasse.

J'obligeai mes jambes à bouger, avançai d'un pas, d'un autre ; chacun me parut plus facile, je sentis les liens de l'effroi se desserrer à mesure, et enfin libérer mon esprit. Je compris alors que nous, les épouvanteurs, de par notre formation – et parce que nous étions le septième fils d'un septième fils – bénéficiions d'une résistance que les soldats les plus entraînés ne posséderaient jamais. Mais, plus que tout, c'était la détermination sans faille de mon maître qui m'avait permis de vaincre ma peur.

Quant à Alice, ses talents de sorcière l'aidaient aussi. Bien que l'Épouvanteur ne l'y ait pas invitée, elle s'ébranla en même temps que moi, et nous pénétrâmes ensemble dans la bouche d'ombre.

– Avez-vous vu ma mère ? demandai-je.

Les deux épouvanteurs firent un signe de tête négatif.

– Nous avons été séparés quand les chevaux affolés ont jailli du tunnel, dit mon maître. Ne te tracasse pas, petit, ta mère sait se débrouiller. Elle nous aura rejoints avant longtemps.

Ces bonnes paroles ne suffirent pas à me rassurer. J'interrogeai Bill :

– Griffe et ses petits ? Sont-ils en sécurité ?

– Oui, du moins pour l'instant. Pas question que je les amène ici. Ils sont entraînés à combattre sorcières d'eau et autres créatures des marécages. Ils n'auraient aucune chance contre des êtres nés du feu.

On entendait à présent un lointain bruit de cascade et le clappement de grosses gouttes tombant sur la pierre, mêlé à un sifflement de vapeur. Lors du déluge qui s'était abattu sur l'Ord pour le refroidir, l'eau s'était infiltrée à l'intérieur. Je posai une main contre le mur : les pierres étaient encore brûlantes.

L'Épouvanteur ouvrit son sac et en tira une lanterne, qu'il alluma. Un coup d'œil alentour nous révéla deux accès, devant nous. Juste en face, un étroit passage où tourbillonnaient des lambeaux de brume menait vers le haut. Sur notre droite s'étendait un couloir horizontal. Je crus percevoir un faible cri, au loin, mais cela ne se reproduisit pas. L'Épouvanteur prit le temps d'écouter avant de conclure :

– À mon avis, il faut monter. Nous trouverons probablement l'Ordinn dans l'une des tours. Qu'en pensez-vous, Bill ?

Arkwright approuva d'un bref hochement de tête, et mon maître se mit en marche avec détermination. Nous le suivîmes.

Quelques minutes plus tard, nous nous heurtions à un mur. Un cul-de-sac ? Non. Levant sa lanterne, l'Épouvanteur éclaira, sur la gauche, une ouverture. Il la franchit sans hésiter. Nous pénétrâmes dans une vaste salle où, sur des rangées de tables de pierre, reposaient, semblait-il, des dormeurs.

Une faible lueur jaunâtre, sans source apparente, éclairait les lieux.

À première vue, les êtres étendus sur le dos paraissaient humains. Mais ils avaient le corps bizarrement allongé, le visage étroit, le nez et le menton pointus. C'était les démons qui avaient assisté à la danse des femelles, dans la grande salle. Et, quand la lanterne de l'Épouvanteur les éclaira, je compris qu'ils ne dormaient pas : ils étaient morts. La gorge tranchée, ils gisaient dans leur sang, qui avait dégouliné des tables et formait des mares sombres sur le sol carrelé.

En nous approchant, nous découvrîmes des empreintes sanglantes, celles de souliers pointus et de nombreux pieds nus. Des Deane, des Malkin et des Mouldheel étaient passées par là.

– Je n'ai jamais considéré les sorcières de Pendle comme les alliées idéales, grommela l'Épouvanteur. Au moins, grâce à elles, nous n'avons plus rien à craindre ici.

– L'Ord est immense, dis-je. Il doit y avoir quantité d'autres chambres, abritant quantité d'autres créatures comme celles-ci...

– On y réfléchira plus tard, petit. Dépêchonsnous ! S'il y a du danger, les sorcières nous précèdent ; elles nous avertiront.

Ayant repéré une autre porte, au fond, John Gregory et Bill Arkwright sortirent de la pièce.

Je m'apprêtais à les suivre quand un cri retentit derrière moi. Je me retournai et découvris Alice, pétrifiée, une expression de terreur sur le visage. L'un des démons avait refermé la main sur son bras.

Assis sur sa couche de pierre, il dardait sur sa prisonnière un regard malveillant. Sa gorge saignait, mais la blessure n'était pas assez profonde pour être mortelle. Notre intrusion dans son domaine l'avait ranimé. Avec un rictus féroce, il posa sa main libre sur le pommeau de l'épée à lame courbe qu'il portait à la ceinture.

Je m'élançai et le frappai en pleine poitrine du bout de mon bâton. Au contact du bois de sorbier, il hoqueta comme un poisson hors de l'eau, une salive sanglante coula de sa bouche. Il tira son arme. Je lui portai un deuxième coup. Il lâcha l'épée, libéra le bras d'Alice et culbuta hors de son lit de pierre. À demi accroupi, il m'observa, les yeux au niveau de la table. Puis, avant que j'aie pu réagir, il sauta.

Aucun humain n'aurait pu réussir un tel saut, à une telle hauteur et à une telle vitesse. Il atterrit à mon côté et m'arracha mon bâton. Je basculai en arrière, roulai vivement sur le flanc. Je n'avais pas le temps de tirer de ma poche ma chaîne d'argent. Mais la dague que Grimalkin m'avait donnée était là, derrière mon épaule...

À la seconde où cette pensée me traversait l'esprit, je compris qu'il était trop tard. Le démon était sur moi.

Deux choses se passèrent alors en même temps : il y eut un déclic, et une ombre vola au-dessus de ma tête. La créature porta la main à sa gorge, tomba à genoux en émettant un gargouillis, puis s'écroula. Après un dernier sursaut, elle ne bougea plus.

Alice me rejoignit ; elle tenait mon bâton. Le bruit que j'avais entendu, c'était le mécanisme relâchant la lame rétractable, à présent poisseuse de sang. Arkwright et John Gregory venaient de surgir. Leur regard allait d'Alice au démon mort.

Arkwright m'aida à me remettre sur mes pieds :

– Cette jeune fille vient de te sauver la vie, Tom Ward, à ce qu'on dirait.

Fidèle à son comportement envers mon amie, l'Épouvanteur ne fit aucun commentaire.

Un grognement, à l'autre bout de la chambre, nous alerta. Un autre serviteur de l'Ordinn revenait à lui.

– Les sorcières n'ont pas été aussi efficaces que je le croyais, fit observer mon maître. Filons ! Inutile de rester plus longtemps par ici. Le temps nous est compté, et qui sait ce qui nous attend plus haut...

Ayant trouvé un autre corridor pentu, nous commençâmes à grimper. L'Épouvanteur marchait en tête.

Soudain, il s'arrêta et leva la main. Sans un mot, il désigna le mur, sur notre gauche. Une petite sphère rougeoyante, une boule de feu translucide, flottait à hauteur de sa tête. Elle n'était pas plus grosse que mon poing, et je crus d'abord qu'elle était attachée à la paroi. Mais elle se mit à flotter, traversa le couloir et se faufila à l'intérieur des pierres.

— Qu'est-ce que c'était ? demandai-je. Un élémental ardent ?

— Je suppose que oui, petit. Ayant vécu toute ma vie dans le climat humide du Comté, je n'ai encore jamais eu l'occasion d'en observer. À cause de l'eau qui s'est infiltrée quand le déluge s'est abattu sur l'Ord, ils n'ont probablement pas encore retrouvé toute leur ardeur. Raison de plus pour accélérer le mouvement ! Où est Seilenos ? Lui, il est au fait de ces sortes de choses...

— Il est mort. Malgré les mises en garde de maman, il a mangé et bu, dans la salle où notre délégation a été reçue. Un démon femelle l'a tué.

— Le pauvre homme a donc été victime de sa gourmandise, déclara l'Épouvanteur avec gravité. Nos méthodes sont les meilleures, face à l'obscur. Quel gâchis ! Sa connaissance du terrain nous aurait été bien utile.

La pente se faisait plus raide. De nouveau, le couloir s'acheva devant un mur, tandis qu'une porte s'ouvrait à notre gauche. La lumière de la lanterne nous révéla d'autres démons allongés. Eux aussi avaient été égorgés, et les tables de pierre étaient couvertes de sang. Mais, alors que nous avancions entre les rangées, Alice lâcha une exclamation horrifiée.

Cette fois, les sorcières n'avaient pas eu la tâche facile. Trois d'entre elles étaient mortes, et il n'en restait plus grand-chose : rien que leurs jambes, des pieds aux genoux. Au-dessus, les corps n'étaient plus que cendres encore fumantes. Une odeur de chair carbonisée empuantissait l'atmosphère.

– Qui a fait ça ? lâchai-je. La petite boule de feu que nous avons vue tout à l'heure ?

– Celle-là ou une autre, répondit l'Épouvanteur, la mine sombre. Un élémental ardent, en tout cas. Espérons qu'il est parti se balader ailleurs... L'Ord reprend vie plus vite que nous le pensions.

Je vis tout à coup ses yeux s'étrécir.

Une sphère flamboyante venait d'apparaître dans les airs, à cinq pas au-dessus de nous. Celle-là paraissait nettement plus dangereuse que la précédente. De la grosseur de ma tête, opaque, elle palpitait tel un cœur vivant, lançant de brefs jets de flamme au rythme de ses pulsations. Elle se mit à glisser dans notre direction, augmentant de volume à mesure qu'elle approchait.

L'Épouvanteur la repoussa d'un coup de bâton. Elle recula, avança de nouveau. Mon maître lui porta un deuxième coup, qui la manqua de peu. La chose fila au-dessus de nos têtes à une vitesse folle et s'écrasa contre le mur d'en face dans une gerbe d'étincelles.

Sans perdre de temps, l'Épouvanteur nous entraîna par une autre porte. Déjà, le globe s'était reformé et flottait vers nous.

Du couloir où nous émergeâmes partait une raide volée de marches ; notre petit groupe entama l'escalade à toutes jambes. Je ne cessais de jeter des regards nerveux en arrière, mais l'élémental semblait avoir abandonné la poursuite. Peut-être était-il assigné à la garde de cette chambre.

L'escalier montait en colimaçon. Étions-nous déjà à l'intérieur d'une des tours spiralées ? En l'absence de fenêtres, il était impossible de se repérer. Ma fébrilité empirait à mesure que nous progressions. Même si nous réussissions à détruire l'Ordinn, les lieux étaient peuplés d'élémentaux et de toutes sortes de créatures. Il faudrait bien repartir par le même chemin. Et les êtres hideux qui nous guettaient, dans l'ombre, seraient alors pleinement éveillés, plus dangereux que jamais. Comment espérer leur échapper ?

Quelques instants plus tard, nous affrontions une nouvelle menace. Une sorcière morte était étendue en travers des marches, une Mouldheel, reconnaissable à ses haillons et à ses pieds nus. À la place de sa tête et de ses épaules crépitait un élémental en forme d'étoile de mer, un de ces asters dont mon maître m'avait parlé sur le bateau. Il remuait paresseusement, occupé à consumer peu à peu le reste du corps.

– Il s'est sans doute laissé tomber sur elle au moment où elle passait, fit observer l'Épouvanteur. Une affreuse façon de mourir...

Nous dépassâmes le cadavre en nous plaquant contre le mur pour garder la plus grande distance possible entre nous et le terrifiant meurtrier. L'Épouvanteur leva la main pour désigner, accrochés dans les hauteurs du plafond, quatre ou cinq autres êtres identiques, dont les bras incandescents palpitaient en silence.

– Je ne sais pas ce qui est préférable, grommela-t-il. Avancer lentement ou passer à toute vitesse. Restons groupés et tentons la méthode lente. Tiens ton bâton prêt, petit !

Il prit la tête, suivi d'Alice et de moi, Arkwright fermant la marche. Nous avancions, le bâton levé. La peur me desséchait la bouche. Nous montions à pas réguliers, évitant tout mouvement brusque. Nous passâmes ainsi sous le premier aster. Peut-être étaient-ils encore engourdis par les effets du déluge ? En tout cas, je l'espérais.

Alors que je nous croyais hors de danger, il y eut une sorte de sifflement, et l'un des asters se laissa tomber vers la tête de l'Épouvanteur. Le bâton de John Gregory dessina un rapide arc de cercle ; dans une explosion d'étincelles, la lame coupa la créature en deux. Les morceaux roulèrent sur les marches, où ils se mirent aussitôt à ramper l'un vers l'autre pour tenter de se reformer. Nous bondîmes en avant, sans cesser d'examiner le plafond pour éviter toute attaque surprise. Enfin, nous atteignîmes un palier. Devant nous, trois portes ouvraient sur des escaliers caverneux. Ce devait être les entrées des trois tours.

– Laquelle faut-il emprunter ? marmonna l'Épouvanteur en observant l'une après l'autre les volées de marches.

– Comment le savoir ? fit Arkwright avec un haussement d'épaules fataliste. Cet endroit est trop grand ; on n'aura jamais fini de l'explorer à temps. On n'y arrivera pas.

J'intervins, une note d'espoir dans la voix :

– Alice sait flairer le danger.

L'Épouvanteur fronça les sourcils. Pour lui, une telle pratique appartenait sans conteste à l'obscur.

Je poursuivis en hâte, avant qu'il ait le temps de refuser :

– Maman veut qu'on utilise tous les moyens possibles pour rester en vie et détruire l'Ordinn.

– Et je n'approuve pas toutes les méthodes de ta mère, il me semble te l'avoir déjà dit, répliqua mon maître d'un ton sec.

– S'il vous plaît, insistai-je. Laissez faire Alice !

Arkwright m'appuya :

– Je crains que nous n'ayons guère d'autre solution.

L'Épouvanteur eut une grimace de réprobation. Mais il acquiesça d'un signe de tête presque imperceptible.

Se plaçant aussitôt devant l'ouverture centrale, Alice renifla bruyamment à deux reprises.

– Je ne sens pas bien ce qu'il y a en haut, reconnut-elle, parce que les sorcières sont passées par là. Leur odeur a imprégné l'air.

– Alors, conclut John Gregory, c'est peut-être une bonne idée de suivre le même chemin. S'il y a du danger, elles nous préviendront. Et, si elles ont choisi cette voie, c'est sans doute qu'elles l'ont considérée comme la meilleure possible.

Il avait à peine fini de parler qu'un cri perçant résonnait dans l'escalier, suivi d'un martèlement de pieds. L'Épouvanteur leva son bâton, et la lame se mit en place avec un petit *clic*.

Quelques secondes plus tard, une sorcière hurlante déboulait sur le palier, la chevelure en feu, ses souliers pointus claquant sur la pierre. Elle ne nous vit même pas. Elle continua de fuir, dévalant les degrés derrière nous. Une deuxième apparut, une Mouldheel aux pieds nus. L'Épouvanteur la retint par la manche, et il dut la menacer de son bâton pour la contraindre à s'arrêter.

– Que s'est-il passé ? l'interrogea-t-il.

Elle lui retourna un regard empli de terreur. Son visage était noir de suie, mais elle ne paraissait pas blessée.

– Laissez-moi partir ! piailla-t-elle.

– Que s'est-il passé ? Parlez !

– Des démons de feu ! On n'avait aucune chance. Les autres sont mortes ! Elles sont toutes mortes !

D'un geste brusque, elle se libéra et s'enfuit. Si elle disait vrai, Grimalkin comptait au nombre des victimes. Le pouvoir de l'Ordinn était tel que les sorcières n'avaient pu ni détecter le danger ni se défendre contre les élémentaux.

Alice flaira l'escalier de gauche et secoua la tête :

– Trop risqué, par là...

Elle flaira celui de droite.

– De ce côté, ça me paraît bon...

Nous entamâmes donc une prudente ascension. Une fois de plus, l'Épouvanteur allait en tête.

Nous montâmes pendant, me sembla-t-il, une éternité. Mes jambes pesaient comme du plomb. L'idée qu'une citadelle aussi gigantesque ait pu jaillir du sol était aussi affolante qu'inconcevable. Quant aux créatures de l'obscur qui la peuplaient, la plupart n'avaient jamais été répertoriées dans le Bestiaire de l'Épouvanteur. Et si l'Ord disparaissait soudain par le portail, retournant dans les profondeurs et nous emportant, prisonniers de sa structure infernale ? Cette pensée me terrifia.

Nous arrivâmes enfin au sommet des escaliers pour nous trouver bloqués par une large porte de bronze de forme circulaire, sur laquelle était sculpté un énorme crâne. Il n'y avait ni poignée ni serrure, mais l'Épouvanteur posa la main sur le motif en relief et poussa. La porte pivota silencieusement. Nous pénétrâmes dans une petite salle octogonale. Nous l'examinâmes à la lueur de la lanterne, perplexes. On ne voyait pas d'autre ouverture. Quelle pouvait être la fonction de cette chambre ?

J'eus aussitôt la réponse à ma question : c'était un piège ! Le sol s'ouvrit brusquement sous mes pieds. Alice hurla. L'estomac me remonta dans la bouche, et je chutai dans le néant.

18

Un marché

J'atterris sur un sol mou. L'impact me coupa le souffle ; mon sac et mon bâton m'échappèrent. L'obscurité était totale, je ne distinguais même pas mes mains levées à hauteur de mon visage. Je me mis à quatre pattes, et l'humidité imprégna aussitôt le tissu de mon pantalon : j'étais agenouillé dans la boue. J'appelai Alice, l'Épouvanteur. Pas de réponse.

Cependant, je n'étais pas seul. Quelque chose remuait dans le noir. Une créature possédant plus de deux jambes progressait lentement vers moi. Je sursautai en percevant un contact léger, presque une caresse, à hauteur de mon genou. Peut-être n'avais-je rien à craindre, après tout ? Mais ce toucher délicat se transforma en étreinte d'acier ; des dents pointues s'enfoncèrent dans ma chair, traversant le cuir de ma botte. Je me sentis traîné sur la terre boueuse, incapable de résister. Le sol devint froid et dur. J'entendis un cliquètement de pattes. Puis cela s'arrêta. On me lâcha, et la créature s'éloigna précipitamment.

Des rires s'élevèrent alors alentour, moqueurs, provocants. Je restai étendu, me gardant bien d'esquisser le moindre mouvement. J'avais perdu mon sac et mon bâton dans ma chute. À part la chaîne d'argent roulée dans ma poche, j'étais quasiment sans défense.

Le sol se mit à se balancer dans un cliquetis de chaînes. D'un geste instinctif, je m'assis et posai les mains de chaque côté pour assurer mon équilibre. Les rires railleurs s'éloignaient au-dessous de moi, à croire qu'on me tirait vers le haut. Ils devinrent bientôt presque inaudibles avant de s'éteindre tout à fait. Un souffle d'air me frôla le visage. Pas de doute, on me remontait.

Aussi effrayé qu'une souris tombée dans le panier du chat, je restai parfaitement immobile et silencieux, de peur qu'un geste de ma part ne déclenche une attaque. N'importe quoi pouvait me guetter, mieux valait ne pas attirer l'attention. Peu à peu, cependant, je devinai des formes autour de moi. Le noir n'était plus si complet. Or, si l'obscurité m'avait effrayé, la faible lumière me révélait à quel point ma situation était désespérée.

J'étais assis au centre d'une plate-forme métallique, piquetée de rouille, légèrement creuse. C'était une sorte de plat suspendu au sommet de la tour, loin au-dessus de ma tête. Trois chaînes rouillées étaient fixées à son rebord. Cela évoquait – en beaucoup plus grand – l'assiette-appât utilisée par les épouvanteurs pour attirer un gobelin au fond d'un puits. Allais-je servir à allécher quelque énorme prédateur ? L'idée me fit frémir d'effroi.

D'autres chaînes étaient manœuvrées à grand bruit. Autour de moi, d'autres plats montaient. Je voulus me pencher pour mesurer du regard la hauteur où je me trouvais, et mon siège de métal se balança de façon alarmante. Au-dessous de moi bâillait un gouffre sans fond. Je ne voyais aucun moyen de m'échapper.

À mesure que le sommet approchait, les murs de la tour se resserraient ; sur les pierres grouillaient, me semblait-il, une colonie d'insectes, évoquant le cœur d'une ruche en activité.

Soudain, je compris ce que c'était, et la peur m'arracha un hoquet : une horde de lamias ailées, les terribles vangires !

Elles étaient des centaines, munies de quatre membres, leurs pattes arrière terminées par des griffes redoutables, celles de devant semblables à des bras féminins aux mains délicates. La paire d'ailes noires croisées dans leur dos cachait une autre paire plus fine. Elles les agitaient pour les égoutter, après le déluge qui les avait mouillées. Dès que le soir serait tombé, au-dehors, et dès que leurs ailes seraient sèches, elles quitteraient l'Ord, traverseraient le bouclier de nuage, fonceraient sur Kalambaka, attaqueraient les moines de Meteora.

Je devinais leurs regards sur moi, entre leurs lourdes paupières. Elles étaient émaciées, impatientes de calmer leur faim. Les chaînes produisaient d'horribles grincements qui me vrillaient les tympans.

Levant les yeux, je découvris l'énorme poulie qui me hissait de plus en plus haut. Sur les autres plateaux gisaient des formes humaines recroquevillées. Vivantes ou mortes, je n'aurais su le dire, elles étaient trop loin. En tout cas, elles ne bougeaient pas.

L'effroyable vérité me frappa alors : nous étions la pitance des lamias ! La nourriture qui leur donnerait la force de s'envoler ! Nous allions être mis en pièces ! Mon corps fut secoué de tremblements. Lentement, contrôlant ma respiration, je contraignis ma terreur à refluer. Je n'étais pas seul en jeu. Arkwright, Alice, l'Épouvanteur étaient-ils dans la même situation que moi, destinés à calmer le sauvage appétit des lamias ?

Il y eut un choc, et les grincements se turent. Je risquai de nouveau un regard vers le bas. J'étais exactement au centre de la tour, et je dominais une trentaine d'autres plateaux. Puis le mien monta de nouveau, alors que les autres ne bougeaient pas.

Quelques instants plus tard, je dépassai un large cylindre métallique d'où pendaient des chaînes rouillées, l'un des mécanismes qui hissaient les autres plateaux. Je devais être accroché à un système différent. Au-dessus de ma tête tourbillonnait une sorte de nuage sombre, rappelant celui qui surplombait l'Ord au-dehors. Plus je m'en approchais, plus je me tassais sur moi-même ; ce phénomène me remplissait d'effroi. Puis je pénétrai dans la masse grise et je ne vis plus rien. Mon ascension s'arrêta ; je restai là, suspendu, dans une obscurité totale.

Peu à peu, le nuage se dissipa, et je pus observer ce qui m'entourait. On m'avait hissé dans une salle étroite aux murs de marbre noir, sans porte ni fenêtre. De forme cubique, elle était meublée en tout et pour tout d'un trône et d'un grand miroir rond accroché à l'une des parois.

Ce trône, je le reconnus. Le Malin s'y tenait assis quand je lui avais parlé, dans la cale de la barge, au printemps précédent. Je me souvenais des motifs sculptés décorant ses bras : d'un côté, un dragon aux griffes étendues ; de l'autre, un serpent dont le corps sinueux s'enroulait aux pieds du siège en forme de serres.

Prenant bien soin de ne pas regarder vers le gouffre, au-dessous de moi, je descendis du plateau et me risquai sur le sol de marbre. Un frisson glacé me courut le long du dos, m'annonçant l'approche de quelque puissant serviteur de l'obscur.

Je fus alors immobilisé, incapable de faire un geste et même de respirer. Je sus aussitôt ce qui m'arrivait, car j'avais déjà vécu cette expérience : le temps s'était arrêté. Il n'y avait à ce phénomène qu'une seule explication : c'était un tour du Malin.

Soudain, il fut là, occupant le trône, de nouveau sous les traits de Matthew Gilbert.

– Je vais te montrer quelque chose, Tom, dit-il d'une voix railleuse. Le futur. Ce qui va se passer dans les prochaines heures, et que toi seul peux empêcher. Tourne les yeux vers le miroir !

Mon cœur se remit à palpiter dans ma poitrine, mes poumons se gonflèrent. Cependant, bien que j'eusse retrouvé ma liberté de mouvement, le temps, autour de moi, restait suspendu. Obéissant, je fixai le miroir.

Tout redevint noir et, l'espace d'un instant, je crus tomber. Puis je me retrouvai sur le plateau de métal, au sommet de la tour. De là, je voyais tout, et jamais ma vision n'avait été aussi claire, aussi nette.

Certains plateaux contenaient un liquide sombre, d'autres, des humains. De la chair et du sang, le repas des lamias. Dans l'un se tenait l'Épouvanteur, démuni de son bâton, l'air vieux et fragile, le visage blême d'épouvante. Dans un autre était assise Alice ; ses mains se crispaient si fort sur le rebord de métal que ses jointures avaient blanchi. Une chose, cependant, me rendit un peu d'espoir : nulle part je ne vis maman.

À peine cette pensée m'avait-elle effleuré que l'air s'emplit d'un ronflement. La horde des vangires s'était élancée vers les plateaux, les griffes étendues. La masse féroce et noire de leurs ailes battantes me dissimulait les victimes, mais j'entendis le cri stri-dent d'Alice.

Et j'étais incapable de les secourir ! Je ne pouvais même pas me couvrir les oreilles des mains pour échapper à l'horrible mélange de hurlements et de bruits de chair déchirée.

Puis mon point de vue changea. Depuis l'exté-rieur de l'Ord, j'assistai au départ des serviteurs de l'Ordinn, jaillissant par les portails. Ils étaient des centaines, armés de lances et de cimeterres, un rictus cruel sur leurs faces de démons. Rien que des mâles. De femelles, il n'y avait pas trace. Le temps parut s'accélérer, et ils approchèrent de Kalambaka, submergeant les guerriers qui avaient fui l'Ord. Ils les taillaient en pièces sans la moindre pitié, les soulevaient pour boire leur sang avant de laisser retomber leurs corps brisés dans la poussière. Derrière les démons venaient les ménades, se repaissant de la chair des morts et des mourants.

Ayant pénétré dans la ville fortifiée, ils attaquaient tous ceux qui n'avaient pu fuir, hommes, femmes, enfants. Ils arrachaient les bébés des bras de leurs mères, leur brisant le crâne contre les murs ensanglantés. Derrière eux, les ménades achevaient le carnage.

Puis je vis les vangires tournoyer au-dessus des monastères de Meteora. Leurs hautes murailles ne leur offraient aucune protection contre ces attaquantes venues du ciel. Des corps tombaient comme des poupées désarticulées, des mares de sang souillaient le sol du catholicon. Plus jamais les hymnes ne s'élèveraient sous ses voûtes, semblables au chœur des anges. Plus jamais les prières des moines ne tiendraient l'obscur en échec. L'Ordinn était libre de surgir quand elle choisirait de le faire. Et le Comté lui-même était condamné.

– Voici l'avenir, Tom ! clama le Malin. Les évènements que je te montre vont se dérouler dans quelques instants, précédés par la mort de ton maître, d'Alice et d'Arkwright. À moins que tu prennes les dispositions qui conviennent pour les empêcher. Je t'aiderai, à une simple condition : tu me feras don de ton âme. En échange, je t'offrirai une chance de détruire l'ennemie de ta mère.

La vision s'effaça, et je me retrouvai face à mon propre reflet. Je me tournai vers le Malin :

– Mon âme ? répétai-je, abasourdi. Vous me demandez mon âme ?

– Oui. Elle m'appartiendra. Et je l'utiliserai à mon gré.

Lui faire don de mon âme ? Qu'est-ce que cela signifiait ? Quelles conséquences cela entraînerait-il ? Me trouver, après ma mort, à jamais emprisonné en Enfer ? Au cœur de l'obscur lui-même ?

Le visage qui me fixait depuis le trône ne souriait plus, son expression était cruelle et sarcastique :

– Dans trois jours, si tu survis, je viendrai te demander ton âme. Cela te laisse le temps d'accomplir les désirs de ta mère et de te réfugier en lieu sûr. Je ne veux pas te tuer. Les termes de ce contrat stipulent que, lorsque je viendrai à toi comme convenu, le souffle quittera ton corps et tu mourras, abandonnant ton âme entre mes mains. Elle sera alors soumise à mes volontés, asservie aux souffrances que je lui infligerai. L'entrave qui me lie n'aura plus de réalité. Ce n'est pas moi qui te tuerai, mon règne sur la Terre ne sera donc pas limité à une pauvre petite centaine d'années. Tu auras accepté de donner ta vie, tu quitteras ce monde de ton plein gré. Et je serai libre d'utiliser mes artifices pour assurer enfin ma domination. Cela prendra du temps, beaucoup de temps, mais je suis patient.

Je secouai la tête :

– Non. C'est de la folie. Vous me demandez trop, je ne peux pas accepter.

– Pourquoi non, Tom ? Ne vois-tu pas que c'est la seule chose à faire ? Te sacrifier et m'abandonner ton âme ? Tu obtiendras tellement en échange ! Tu auras une chance d'éviter ces morts dont je t'ai montré le spectacle. Tu protégeras le Comté de tout péril à venir. C'est à toi de décider, Tom. Tu as vu ce qui va arriver. Toi seul peux t'y opposer.

Si **je** refusais, je condamnais Alice, Arkwright et l'Épouvanteur. Des milliers de gens mourraient ; l'Ordinn triompherait. Et, dans sept ans, elle se vengerait de maman, détruirait tous ceux qui lui étaient chers, et ce serait le tour du Comté de subir un semblable destin. Devais-je empêcher cela au prix de mon âme ? Un tel sacrifice en valait-il la peine ? Et que voulait dire le Malin en parlant de « chance » ?

– Quelle chance m'offrirez-vous en échange ? le questionnai-je. Comment me viendrez-vous en aide ?

– De deux manières. D'abord, je retarderai le réveil de l'Ordinn. Une heure, c'est le mieux que je puisse t'accorder. Certes, quelques-uns de ses serviteurs se sont éveillés bien avant elle. D'autres commencent à s'agiter. Ceux-là, tu devras les éviter ou t'en débarrasser. Enfin, et c'est le plus important, je te révélerai où se trouve l'Ordinn.

Ce n'était pas la première fois qu'un marché de ce genre m'était proposé par une créature de l'obscur. Golgoth, l'un des anciens dieux, m'avait offert la vie et le salut de mon âme si je le libérais du pentacle qui l'emprisonnait. J'avais refusé. Ma petite personne ne comptait pas ; il était de mon devoir de me sacrifier pour le bien du Comté. À Pendle, Wurmalde, la sorcière, avait marchandé avec moi pour que je lui remette les clés ouvrant les malles de ma mère. Bien que les vies de Jack, d'Ellie et de la petite Mary eussent dépendu de mon acceptation, j'avais refusé.

Cette fois, cependant, c'était différent. L'enjeu n'était pas seulement ma vie, ni celle des membres de ma famille. Oui, mon âme appartiendrait au

Malin. Mais le Comté serait à l'abri. D'autre part, le Malin ne régnerait sur la Terre que s'il me gagnait à sa cause. Et cela ne serait pas. Il ne posséderait jamais ma volonté. L'Ord était une structure aussi complexe que gigantesque. Localiser l'Ordinn nous donnerait une vraie chance de vaincre l'ennemie de maman.

J'étais tenté d'accepter. D'ailleurs, avais-je une alternative ? Cela nous ferait gagner du temps, ce dont nous manquions cruellement. D'ailleurs, rien ne prouvait que maman fût morte. Et, si elle était en vie, tout espoir n'était pas perdu. Elle trouverait peut-être un moyen de me sauver, une astuce qui annulerait les clauses de ce contrat.

Frissonnant intérieurement à la pensée de ce que j'abandonnais aux mains du Malin, je déclarai :

– C'est d'accord. J'engage mon âme en échange de ce que vous me promettez.

– Dans trois jours, je reviendrai te la réclamer. Tu acceptes ?

– J'accepte, dis-je, le cœur sombrant dans ma poitrine.

– Qu'il en soit donc ainsi ! Et voici l'indication qu'il te faut : l'Ordinn n'est pas dans une des trois tours. Elles abritent ses serviteurs et ne recèlent que des pièges mortels pour ceux qui osent s'y aventurer. Derrière les tours se dresse le dôme, au sommet de l'ensemble. C'est là qu'elle se tient. Néanmoins, sois prudent en traversant les terrasses. On y rencontre de nombreux dangers. Et souviens-toi : il vous reste une heure avant le réveil de l'Ordinn !

M'ayant fourni l'information promise, le Malin m'invita d'un geste à reprendre ma place dans le plateau de métal. À peine m'y étais-je assis que l'obscurité envahit la pièce. Le nuage roula de nouveau ses volutes noires au-dessus de ma tête. Ma dernière vision fut celle de la face jubilante de Satan.

Une dernière fois, je m'interrogeai : comment aurais-je pu condamner tant d'êtres à une mort affreuse ? Nous avions à présent une chance d'éviter un bain de sang. Qu'était mon âme face à un tel enjeu ?

J'avais passé un marché avec le Malin. Dans trois jours, à moins que maman sache comment me tirer de là, j'aurais à payer un prix bien lourd en échange d'une possible victoire.

19

Mon destin ?

Il y eut une secousse, et le plateau se mit à descendre. Le nuage se dissipa, laissant voir les parois intérieures de la tour spiralée. Les lamias étaient toujours là, agrippées à la pierre, mais elles ne bougeaient pas. Autour de moi, des chaînes grinçaient et cliquetaient ; les autres plateaux descendaient aussi.

Je cherchai des yeux ceux qui portaient Alice, Arkwright et l'Épouvanteur, mais ils avaient déjà disparu. Je me souvins que la partie basse de la tour baignait dans une obscurité totale. La lumière autour de moi faiblissait ; bientôt, ma descente se poursuivit à l'aveugle. Enfin, je ressentis un léger choc : le plateau avait touché le sol.

Pendant quelques instants, je ne fis pas un geste. J'attendais, au cœur des ténèbres, osant à peine respirer. Des bruits mouillés m'apprenaient que d'autres plateaux se posaient à leur tour dans la boue. Je n'avais pas oublié la créature qui avait enfoncé ses crocs dans ma jambe pour me tirer jusqu'à la nacelle de métal. Rôdait-elle encore dans les parages ?

Je m'efforçai de raisonner calmement. La bête invisible avait rempli son rôle : me placer là où le mécanisme devait me hisser jusqu'en haut de la tour pour y rencontrer le Malin. Sans doute me laisserait-elle tranquille, à présent. N'avais-je pas conclu un marché ? Ne m'avait-on pas accordé une heure pour trouver l'Ordinn avant son réveil complet ? Mais pouvais-je compter sur la parole du maître du mensonge ?

Ayant perçu un mouvement, dans l'ombre, je me recroquevillai sur moi-même. L'instant d'après, une lueur dansante apparut. Puis je vis s'approcher une silhouette munie d'une lanterne. À mon grand soulagement, je reconnus John Gregory. Il avançait lentement, jetant des regards inquiets de droite et de gauche. Arkwright le suivait de près. Je me relevai et sautai de mon siège de métal. Mes bottes s'enfoncèrent dans la boue. Une troisième personne surgit dans le halo du lumignon : Alice.

– J'ai cru que c'en était fini de nous, déclara l'Épouvanteur. Il y a quelques instants, je m'attendais à être vidé de mon sang ; et me voilà entier. C'est trop beau pour être vrai...

Il nous observa tour à tour. Bien que je sentisse le regard d'Alice fixé sur moi, je gardai le silence.

– Bon, voyons ce que nous pouvons retrouver par ici, reprit mon maître. Je me sentirais plus à l'aise avec mon bâton en main.

Nous le suivîmes, restant aussi près que possible du cercle de lumière jaune dessiné par la lanterne. Bientôt, nous avions récupéré son sac, son bâton et celui d'Arkwright, ainsi que mes propres affaires.

– Voilà qui est mieux, commenta Arkwright.

– Il semble que nous profitions d'une aide extérieure, fit remarquer l'Épouvanteur. Je me demande si ta mère y est pour quelque chose, petit...

– J'aimerais le croire, dis-je, priant pour qu'il ne devine pas quel rôle je jouais dans cette affaire. J'espère seulement qu'elle est saine et sauve.

– Quoi qu'il en soit, conclut-il, on nous accorde une seconde chance. Ne la gaspillons pas ! Dans peu de temps, tout ce qui hante ces lieux sera complètement réveillé ; nous devons nous hâter. La question cruciale est donc : dans quelle direction aller ?

J'avais la réponse, je savais où trouver l'Ordinn. Mais comment le lui faire savoir sans dévoiler mes sources ?

Mon maître poursuivit :

– Retournons sur le palier d'où partent les trois escaliers. Chacun mène apparemment en haut d'une tour. Celui du centre abritait les élémentaux qui ont tué les sorcières ; celui que nous avons emprunté conduisait à une chausse-trape. Cela nous en laisse un.

J'intervins alors, choisissant mes mots avec soin :

– Mon instinct me conseille d'éviter les tours. Chacune doit cacher un piège quelconque, comme celui qui a failli nous tuer. À mon avis, l'Ordinn est dans le dôme qui surplombe toute la structure. Maman me l'a dit : si on ne la trouvait pas dans une des tours, c'est là qu'il faudrait la chercher.

L'Épouvanteur se gratta la barbe, pesant mes paroles :

– Ma foi, petit, je t'ai enseigné à te fier à ton instinct. Si toi et ta mère êtes du même avis, j'incline à le suivre.

Levant la lanterne, il regarda autour de lui :

– Seulement... comment sort-on d'ici ?

Des ténèbres épaisses nous entouraient, on n'apercevait même pas les murs. L'Épouvanteur se mit pourtant en route d'un pas décidé, et nous le suivîmes.

Finalement, une étroite meurtrière nous révéla un décor de cauchemar : piliers, arcades, contreforts se reflétant dans des mares d'eau noire. Sans nous attarder, nous empruntâmes un escalier, franchîmes une porte pour nous retrouver sur le toit de la citadelle, à l'ombre des trois tours.

Entouré par quantité de tourelles et de voussures compliquées, s'élevait le dôme. Nous avançâmes en file, l'Épouvanteur en tête, Alice derrière moi et Arkwright fermant la marche. Au-dessus de nos têtes, l'énorme nuage noir bouillonnait encore, et une pluie fine nous mouillait le visage. Bientôt, la lanterne fut inutile, car une lumière verdâtre émanait des pierres de l'Ord.

La terrasse au sol irrégulier était constellée de trous d'eau. Nous suivîmes une rigole bordée d'un muret de pierre. Soudain, une lune pâle apparut, aussitôt cachée par la masse nuageuse. Nous approchions de ce qui pouvait être l'entrée d'une galerie. Mais, quand nous y pénétrâmes, elle se révéla être à ciel ouvert, le plafond remplacé par de gros barreaux.

Lorsque la lune brilla de nouveau, je me crus dans le squelette de quelque énorme animal, emprisonné entre ses côtes. Et, tout autour, accrochés à la pierre par les mains ou par leurs quatre membres, recroquevillés sur le sol, nous guettaient des morts-vivants.

– Je n'aime pas cet endroit, gémit Alice.

En tant qu'apprenti de l'Épouvanteur, j'avais maintes fois rencontré des âmes défuntes piégées dans leur corps d'avant. Mais ce spectacle était le pire que j'eusse jamais observé. Certains de ces malheureux avaient encore quelque chose d'humain ; vêtus de haillons, ils tendaient vers nous leurs bras décharnés, nous suppliaient de les aider ou marmonnaient des paroles incohérentes. D'autres semblaient sortis des pires cauchemars. Je remarquai un être nu muni de multiples bras telle une hideuse araignée, une sorte de rat sans pattes dont le corps sinueux s'achevait en longue queue.

– Qui sont-ils ? demandai-je. Que font-ils ici ?

Mon maître se retourna pour me répondre :

– Ce sont probablement des âmes damnées. Certaines doivent être là depuis des décennies, entraînées par l'Ord chaque fois qu'il est reparti dans les entrailles de la Terre. Ceux dont les esprits ont dégénéré au point qu'ils ont perdu presque toute forme humaine, on les appelle les subhumains. Je crains fort que, même si nous en avions le temps, nous ne puissions rien faire pour leur rendre la paix. J'ignore quels crimes ils ont commis sur Terre pour avoir mérité une telle condamnation, mais ils sont trop loin de la lumière pour espérer la rejoindre un jour. Seule la destruction de l'Ord réussirait à les libérer.

Des âmes damnées ? La nausée me prit à l'idée que, dans trois jours, je risquais de connaître semblable destin. Je fus soulagé de laisser enfin derrière nous l'effroyable galerie, tandis que les voix plaintives se taisaient peu à peu. La pente du toit était plus abrupte, à présent, et le dôme abritant l'Ordinn endormie s'élevait devant nous. On distinguait une entrée, à sa base, une ouverture ovale, étroite et noire, dont la vue suffit à m'épouvanter. Aucune porte ne la fermait. Pourtant, quand mon maître voulut franchir le seuil, il fut rejeté en arrière comme s'il avait heurté un obstacle.

Frictionnant son front douloureux, il testa le vide du bout de son bâton. Un bruit sourd résonna, celui d'un coup frappé contre une porte invisible. Il explora l'espace du plat de la main :

– Je sens une sorte de barrière, lisse mais extrêmement solide. Espérons qu'il existe une autre entrée...

Je tâtai l'ouverture à mon tour, et mon bras s'y enfonça sans rencontrer de résistance. Je pris une profonde inspiration et avançai d'un pas. J'étais entré. J'eus alors l'impression d'être projeté à une distance incroyable ; derrière moi, les autres n'étaient plus que des silhouettes indistinctes.

Il n'y avait pas en ce lieu la moindre luminosité ; j'étais au cœur d'un vaste espace clos, empli de nuit et de silence.

Un pas en arrière, et je me retrouvai au-dehors, face à mes compagnons, dont les voix affolées résonnèrent à mes tympans. Cela me rappela mon apprentissage de la natation avec Bill Arkwright. Il m'avait jeté sans ménagement dans le canal, et j'avais bien cru me noyer. Quand il m'avait sorti par la peau du cou de l'étrange silence aquatique, les sons extérieurs s'étaient engouffrés ainsi dans mes oreilles.

– Oh, Tom ! gémit Alice. Je t'ai cru perdu. Tu as disparu d'un coup !

– Je vous apercevais encore, dis-je. Mais vous n'étiez que des ombres, et je ne vous entendais pas.

Alice s'approcha de l'ouverture et essaya de passer, sans succès. Arkwright à son tour fit une tentative, d'abord avec son bâton, puis avec la main.

– Si Tom peut le faire, pourquoi pas nous ? grommela-t-il.

L'Épouvanteur ne répondit pas directement à sa question. Il fixa sur moi un regard inquisiteur :

– Ta mère a-t-elle prévu ça, petit ? Souviens-toi de ce qu'elle nous a dit : que le don de ton sang t'ouvrirait l'accès à des lieux où, sans cela, tu n'aurais jamais pu pénétrer. Elle tenait plus que tout à ta présence à ses côtés. Peut-être y a-t-il ici, dans l'Ord, quelque chose que toi seul es destiné à accomplir ? Quoi qu'il en soit, toi seul sembles autorisé à franchir cette barrière.

Il avait raison. Mon sang courait à présent dans les veines de l'Ordinn. Comme ma mère, j'avais désormais le pouvoir de franchir des frontières interdites. Et cela faisait partie de son plan.

– Oui, dis-je. Il faut que j'y aille seul. Il nous reste peu de temps...

Cette perspective me terrifiait, mais je ne voyais pas d'échappatoire. Je m'attendais à des objections ; or, mon maître acquiesça :

– Sans doute est-ce l'unique moyen d'atteindre l'Ordinn avant son réveil. Cependant, tu vas prendre de gros risques, petit, sans personne pour te prêter main forte.

– Ne fais pas ça, Tom ! supplia Alice.

L'Épouvanteur poursuivit :

– C'est notre dernière carte, il faut la jouer. Si l'Ordinn n'est pas détruite, aucun de nous ne sortira vivant d'ici. À quoi ça ressemble, là-dedans ?

– Il fait très noir, et on n'entend aucun bruit.

– En ce cas, tu auras besoin de lumière. Va, petit, et fais de ton mieux. Nous allons essayer de trouver un autre accès.

Je pris la lanterne qu'il me tendait, adressai à Alice un petit sourire confiant et franchis le seuil pour la deuxième fois. Autant l'avouer, je crevais de peur. Mais je me répétais une phrase de mon père quand un travail pénible l'attendait : « Il faut bien que quelqu'un le fasse. »

Je jetai un dernier regard aux ombres de mes compagnons, debout devant l'entrée. Puis je m'enfonçai résolument dans un monde de nuit et de silence. Or, ce silence fut aussitôt troublé par mon intrusion : l'écho de mes pas résonnait dans l'obscurité ; je percevais le chuintement de ma respiration, les battements de mon cœur. Tenant mon sac et mon bâton dans une main, je levai la lanterne de l'autre. N'importe quoi pouvait se tapir au-delà du halo de lumière jaune.

J'avais dû parcourir une bonne centaine de mètres sans avoir rencontré ni mur ni obstacle quand je perçus un changement : mes pas ne produisaient plus aucun bruit. Devant moi une large ouverture révélait le début d'un escalier qui montait.

Je m'arrêtai alors, retenant mon souffle. Une fille me regardait, assise sur la première marche. Une fille aux longs cheveux pâles, vêtue d'une robe élimée, les pieds nus. Elle se leva et me sourit. Derrière ce sourire, on lisait sur ses traits une espèce de volonté féroce. C'était Mab Mouldheel.

Les sorcières de Pendle n'avaient donc pas toutes trouvé la mort dans la tour comme je l'avais cru. Mais comment Mab était-elle arrivée ici ? Par quelle magie avait-elle franchi la barrière invisible ?

20

La vérité des choses

— **Q**u'est-ce qui t'a retardé ? fit-elle. Je t'attends depuis des siècles !

— Et pourquoi m'attends-tu ? la questionnai-je, troublé.

— Parce que tu as un travail à faire, et qu'on n'a pas beaucoup de temps. Ta mère doit s'impatienter. Donne-moi ça !

Elle s'empara de la lanterne, m'attrapa par la manche et m'entraîna à sa suite. Après une seconde d'hésitation, je me laissai tirer dans l'escalier en spirale. Elle montait de plus en plus vite, m'obligeant presque à courir.

Soudain, je commençai à paniquer. Pourquoi lui avais-je permis de prendre le contrôle ? Usait-elle de magie noire pour me lier à sa volonté ?

Je lui imposai une brusque halte :

— Où sont tes sœurs ? Pourquoi n'es-tu pas avec les autres Mouldheel ?

Je n'avais aucune confiance en elle. Peut-être le Malin m'avait-il trompé, peut-être Mab était-elle chargée de me livrer à l'Ordinn, déjà sortie de son sommeil ?

— En entrant dans l'Ord, m'expliqua-t-elle, les sorcières se sont séparées en plusieurs groupes. Beth, Jennet et moi les avons suivies à distance. Pour l'instant, mes sœurs sont en sécurité, aussi loin que possible de cet affreux endroit. Moi, je suis restée, au péril de ma vie. Tu pourrais montrer un peu de reconnaissance.

— Et pourquoi es-tu restée ?

— Pour trouver le repaire de l'Ordinn et l'indiquer à ta mère. J'ai usé de mes dons de scrutation. C'est la chose la plus difficile que j'aie jamais faite. Maintenant, viens vite, Tom. Ta mère t'attend, là-haut.

Elle me tira, mais je résistai :

— Une minute ! Tu savais où est l'Ordinn ? Pourquoi ne nous as-tu pas mis en garde ? Nous avons pris beaucoup de retard, nous sommes tombés dans un piège. Nous aurions pu être tous massacrés !

Le pire était – mais je n'en dis rien à Mab – que j'avais vendu mon âme pour rien.

– Non, Tom, ça ne s'est pas passé comme ça. Je n'ai pu utiliser la scrutation qu'une fois à l'intérieur de l'Ord. Et, pour y réussir, il me fallait le sang d'un serviteur de l'Ordinn. J'ai tranché la gorge d'un des démons endormis, et nous avons découvert que l'Ordinn n'était pas dans une des tours. Ta mère a alors décidé de prendre le chemin le plus direct. On est ressorties par le tunnel. On a longé la muraille et on a franchi le portail principal. Elle ne manque pas d'audace, ta mère ! Ça grouillait de bestioles, là-dedans ! Des saletés à six pattes, avec des pinces et des yeux partout ! Elles ne s'approchaient pas d'elle, remarque ! Elles gardaient leurs distances. On a fini par arriver devant cette barrière invisible. Ta mère pouvait la franchir, moi pas. Elle a usé de son pouvoir pour me faire entrer. C'est qu'elle avait vraiment besoin de moi, parce que ça lui a pompé une partie de son énergie. « Amène-moi Tom aussi vite que possible ! » Voilà ce qu'elle m'a dit. Alors, remue-toi ! On n'a pas de temps à perdre.

Sur ces mots, elle m'entraîna de nouveau et, cette fois, je ne résistai pas. Nous escaladâmes les marches au galop jusqu'à un palier sombre. Au fond, une nouvelle porte ouvrait sur d'autres ténèbres.

— Entre, me dit Mab. Ta mère veut te parler seule à seul. Elle m'a ordonné de rester dehors.

Je n'avais aucune envie de m'aventurer dans ce trou noir. Je tendis la main pour prendre la lanterne. Mab secoua la tête :

— Elle ne veut pas que tu la voies, pas comme ça. Elle est en train de changer, et sa métamorphose n'est qu'à moitié terminée. Ce n'est pas joli, joli...

Je détestais le ton qu'elle employait pour parler de ma mère et je faillis lui flanquer un coup de bâton. Maman reprenait-elle son apparence de lamia ?

— Entre ! aboya Mab.

Je lui jetai un regard noir. Puis, cramponné à mon sac, mon bâton à la main, je pénétrai dans cette chambre interdite et attendis que mes yeux s'accoutument à l'obscurité. Néanmoins, avant même d'avoir localisé une masse sombre, dans un coin, j'avais perçu une respiration oppressée, comme celle d'un être qui souffre.

— Maman ! criai-je. Maman, c'est toi ?

— Oui, mon fils, c'est moi, répondit une voix rauque, plus grave que dans mon souvenir.

Une voix anxieuse, douloureuse. Pourtant, pas de doute, c'était celle de ma mère.

— Tu vas bien, maman ? Tu n'es pas blessée ?

— Ma métamorphose est en cours, Tom. Je peux décider de la forme que je vais prendre, j'ai donc choisi celle qui me donnera le maximum de chances contre l'Ordinn. C'est plus pénible que je l'avais imaginé. Beaucoup plus. Il faut encore un moment pour que le processus soit achevé. Je veux que tu la retardes.

– Que je retarde l'Ordinn ?

– D'abord, tu lui parleras. Elle t'écoutera, car tu représenteras une énigme pour elle, un mystère qu'elle cherchera désespérément à percer. Ensuite, ton bâton et ta chaîne d'argent devraient nous aider à gagner du temps. Après quoi... Portes-tu toujours la dague ? As-tu en réserve le noir désir ?

Les cadeaux de Grimalkin ! Maman avait prévu de m'armer ainsi contre l'Ordinn ! Un étau d'angoisse m'enserra la poitrine, mais je ne pouvais lui cacher la vérité :

– J'ai la dague. Le souhait magique, je l'ai utilisé pour sauver Alice. Sans cela, elle serait morte ; une lamia sauvage la tenait entre ses griffes.

Je perçus un soupir déçu :

– Les pouvoirs combinés du noir désir et de la lame t'auraient offert une chance réelle de vaincre l'Ordinn. Néanmoins, mon fils, tu as pris la bonne décision. Si tu survis, tu auras besoin d'Alice à tes côtés. Quoi qu'il en soit, utilise la dague en dernier recours.

– En quoi serai-je une énigme pour l'Ordinn ? la questionnai-je. Je ne comprends pas.

– Tu ne te souviens donc pas de ce que je t'ai expliqué ? La raison pour laquelle nous lui avons donné à boire ton sang ? Tu lui sembleras familier sans qu'elle sache qui tu es. Elle t'identifiera comme un parent, quelqu'un qu'elle devrait connaître et qu'elle ne reconnaîtra pas. Tu retiendras ainsi son attention, ce qui me donnera le temps de me préparer et d'attaquer la première. Elle a bu ton sang pour gagner une nouvelle vie, son corps l'a assimilé. Or, il l'a changée, et il t'a rendu proche d'elle. Cela l'affaiblit déjà. C'est pourquoi tu as pu franchir la barrière invisible comme j'ai pu le faire aussi, car nous sommes du même sang.

À mesure qu'elle parlait, sa voix changeait, son élocution devenait moins humaine. Le doute me saisit de nouveau. J'avais été si souvent trompé, auparavant !

– C'est toi, maman ? C'est bien toi ?

– Oui, mon fils. Qui d'autre ? Je ne peux te blâmer de te montrer méfiant. J'ai pris de nombreux aspects, au cours de ma vie, et je vais bientôt revêtir ma forme ultime. Je me transforme ; en ce moment même, le processus est en train de s'accélérer. La femme que j'ai été n'existe plus. Je me souviens d'avoir été ta mère, d'avoir été l'épouse de ton père.

Mais je suis autre, à présent. N'en sois pas attristé, Tom. Tout change, en ce monde ; rien ne dure à jamais. Faisons en sorte que nos derniers instants ensemble vaillent la peine d'être vécus.

Tout au long de ma longue existence, j'ai préparé la destruction de l'Ordinn, et l'heure de ma victoire est proche. Tu lui as donné de ton sang, tu l'as fait avec courage. C'est à cette fin que je t'ai emmené en Grèce, mon pays natal. Retarde-la ! Gagne du temps ! Mab te guidera à l'endroit où elle va s'éveiller. Alors, j'utiliserai contre elle toutes les forces qui me restent. Je l'enserrerai dans une étreinte mortelle. Si j'y réussis, tu devras fuir l'Ord immédiatement. Tu le feras ? Tu me le promets, Tom ?

– Et je t'abandonnerai ? Non, maman, je ne pourrai pas...

– Il le faut, mon fils. Tu dois t'échapper. Tu es destiné à vaincre le Malin. J'ai consacré ma vie à ce but. Si tu meurs avec moi, j'aurai œuvré en vain. Je vais immobiliser l'Ordinn jusqu'à ce que ses forces soient épuisées. Alors, l'Ord en s'effondrant s'engouffrera à travers le portail par lequel il a surgi. Ce sera la fin de l'Ordinn.

– Et la tienne, n'est-ce pas ? C'est ça que tu m'annonces, maman ?

– Oui, mon fils. J'aurai enfin accompli la tâche que je me suis assignée il y a si longtemps ! Aussi, promets-moi, je t'en prie ! Je veux te l'entendre dire...

Elle allait mourir ici ! Le choc de cette révélation, le chagrin qu'elle me causait me laissaient muet. Mais comment aurais-je pu refuser à ma mère la dernière chose qu'elle me demandait ?

– Je te le promets, maman. Tu pourras être fière de moi jusqu'au bout. Tu vas me manquer terriblement...

À cet instant, un rayon de lune qui passait par une ouverture vint illuminer son visage. Je la reconnus, malgré ses pommettes plus saillantes, son regard plus sauvage. Je ne pus que deviner le reste de son corps. Elle était accroupie sur le sol et, alors même que je l'observais, elle continuait de se métamorphoser.

Je distinguai une peau écailleuse, des griffes tranchantes, des ailes repliées. Peu à peu, devant mes yeux, elle reprenait son aspect originel.

– Ne me regarde pas, Tom ! Ne me regarde pas ! Va-t'en ! Vite ! me lança-t-elle d'une voix implorante et pleine de douleur.

J'avais déjà eu une vision semblable, j'avais entendu ces mêmes mots[1]. Le Fléau qui hantait les catacombes de Priestown m'avait montré ma mère sous cet aspect terrible. Je me rappelai chacune de ses paroles :

---

1. Lire *La malédiction de l'Épouvanteur*.

La lune révèle la vérité des choses, mon garçon !
Tu le sais. Ce que tu as vu est vrai, ou le sera bientôt.
Ce n'est qu'une question de temps.

Le Fléau n'avait pas menti. Le temps était venu, et il me semblait vivre un cauchemar éveillé.

Voyant que j'hésitais, ma mère me pressa :

– Va-t'en ! Et fais ce que j'ai dit ! Ne me laisse pas sans soutien ! N'oublie pas ce que tu es, et souviens-toi toujours que je t'aime !

Je fis demi-tour et sortis en hâte.

Mab m'accueillit avec un sourire sarcastique :

– Je t'avais prévenu que ce n'était pas beau à voir. Viens, je te conduis auprès de l'Ordinn...

À demi suffoqué d'angoisse et de chagrin à l'idée des souffrances que maman endurait et de l'effroyable métamorphose qu'elle s'imposait, je gravis un autre escalier à la suite de la jeune sorcière. Je n'eus pas le temps de me tourmenter davantage : nous arrivions sur une galerie à balustrade de pierre. Mab me désigna une nouvelle volée de marches qui redescendaient.

– C'est là que tu la trouveras, siffla-t-elle. L'Ordinn...

Au-dessous de nous s'ouvrait un espace évoquant l'intérieur d'une église vide. La travée centrale, bordée de piliers sculptés, menait à un trône de marbre dressé sur une estrade. Une femme vêtue de soie noire y était assise, la tête inclinée. Tout autour, des centaines de cierges noirs brûlaient dans de hauts chandeliers d'or, leur flamme jaune toute droite dans l'air immobile. Derrière les piliers, les murs étaient creusés d'alcôves ténébreuses où n'importe quoi pouvait se tenir à l'affût.

J'observai la femme. Elle gardait les yeux fermés, mais se réveillerait d'un instant à l'autre. Je sus d'instinct que j'étais devant l'Ordinn.

Comme je tournai vers Mab un regard interrogateur, elle posa un doigt sur ses lèvres :

– Chut ! Pas de bruit ! Elle ne va pas tarder à s'agiter. Descends, et fais ce que ta mère attend de toi avant qu'il soit trop tard. Sinon, aucun de nous ne sortira vivant d'ici.

Je n'ajoutai rien, le temps des discours était passé. Posant mon sac aux pieds de Mab, je m'engageai sur les marches le plus silencieusement possible. Puis je marchai vers le trône. En dépit de mes efforts, mes bottes sonnaient sur le sol, et la haute voûte répercutait l'écho de mes pas. Des gardes veillaient-ils sur la maîtresse des lieux, dissimulés dans les alcôves ? Je lançais des regards inquisiteurs de droite et de gauche, mais rien ne bougeait. Je ne détectai aucune menace.

Plus j'approchais, plus je ressentais l'extraordinaire pouvoir d'intimidation émanant de la créature endormie. Un froid intense montait lentement le long de mon dos. Ma tâche était de retenir l'attention de l'Ordinn jusqu'à ce que maman ait achevé sa métamorphose et soit prête à détruire son ennemie. Mais si celle-ci m'attaquait dès qu'elle découvrirait ma présence ? Pour parer à toute éventualité, je fis passer mon bâton dans ma main droite. De la main gauche, je sortis ma chaîne d'argent de ma poche et la dissimulai dans les replis de mon manteau.

Une pestilence m'agressa les narines. Si l'Ordinn avait l'apparence d'une très belle femme, il émanait d'elle une odeur de fauve, musquée, fétide, qui me donnait la nausée.

Je m'arrêtai devant son trône. Les yeux fermés, elle semblait toujours endormie. Devais-je en profiter, frapper le premier avant qu'elle ait recouvré toutes ses forces ? Encore fallait-il que mes armes soient assez puissantes. Habituellement, l'argent se révélait efficace contre les êtres venus de l'obscur. Mais je n'avais pas affaire à une simple sorcière. J'avais devant moi une créature bien plus redoutable, apparentée aux anciens dieux. Il me paraissait peu probable qu'une chaîne d'argent en vienne à bout. Quant à mon bâton, sa lame d'argent la blesserait sans doute. Seulement, il me faudrait viser en plein cœur, et elle devait être incroyablement forte et rapide. Ça ne me laissait guère de chances. Si je possédais encore la dague de Grimalkin, j'avais utilisé le noir désir. Maman avait compris que la vie d'Alice était à ce prix, néanmoins, j'avais senti sa déception : j'avais perdu un de mes meilleurs atouts contre l'Ordinn.

Je décidai dans quel ordre employer mes armes : la chaîne, le bâton, puis la dague. Mais, d'abord, je ligoterais mon adversaire par le pouvoir des mots. Je mettrais tout en œuvre pour la retenir, jusqu'à ce que maman soit prête à l'affronter.

Alors que ces pensées se bousculaient dans ma tête, l'Ordinn souleva les paupières et son regard me transperça. Elle se redressa sur son trône. Ses lèvres pâles se gonflèrent d'un sang carmin ; ses yeux prirent la teinte violette du ciel au crépuscule.

Elle était réveillée.

21

Une dent pointue

L'Ordinn se leva et me toisa, une expression de colère et d'arrogance sur le visage.

— Un insecte rampe devant moi, prononça-t-elle avec une douceur inquiétante. Je le sens frissonner de peur. Vais-je tendre le doigt pour l'écraser sur le froid sol de marbre ? N'est-ce pas ce que je dois faire ?

C'est alors que je remarquai ses mâchoires. Celle du bas, particulièrement large et puissante, était actionnée par un faisceau de muscles accroché sous ses oreilles. Quand elle ouvrait la bouche, des canines effilées apparaissaient, moins longues que celles des sorcières d'eau, mais recourbées. Si elles s'enfonçaient dans votre chair, impossible de leur faire lâcher prise. Mon regard descendit vers ses mains, très grandes pour des mains de femme, parcourues d'un réseau de veines proéminentes. Au bout de ses doigts pointaient des griffes tranchantes.

Sachant qu'elle s'efforçait de me terroriser, je contrôlai ma respiration pour faire refluer la peur, le premier devoir d'un épouvanteur face à l'obscur. Dès que j'eus maîtrisé mes tremblements, je m'avançai d'un pas. Un éclair de surprise traversa le regard de la créature.

– Qui es-tu, insecte ? demanda-t-elle. Comment es-tu entré ici ? Comment es-tu arrivé jusqu'à moi, trompant la vigilance de mes serviteurs, évitant les pièges et franchissant les barrières ?

– J'ai trottiné telle une petite souris, répondis-je. Je suis trop insignifiant pour qu'on me remarque.

– Vraiment ? Et quel est ce bâton que tu tiens, taillé dans du bois de sorbier, une méchante dent cachée à son extrémité ?

– Vous parlez de ceci ? dis-je calmement.

Je pressai le mécanisme, et la lame jaillit avec un léger *clic*.

– Une dent bien pointue pour une si petite souris ! fit-elle remarquer.

Elle descendit la première marche de l'estrade :

– Ta présence ici est un mystère. Tu es un étranger. D'où viens-tu ?

– Je viens d'un pays vert souvent mouillé par la pluie, de l'autre côté de la mer.

– Quelle est ta parenté ? Qui t'a engendré ?

– Mon père était fermier. Il travaillait dur pour nourrir sa famille et apprenait à ses enfants à distinguer le bien du mal. Il est mort, mais je ne l'oublierai jamais. Et je n'oublierai jamais ce qu'il m'a enseigné.

– Il me semble te connaître. Tu pourrais presque être mon frère. As-tu des sœurs ?

– Je n'ai pas de sœurs, mais j'ai des frères.

– Oui, en effet ! Tu en as six ! Six ! Et tu es le septième ! Ton père lui aussi était un septième fils ! Tu as des dons, tu peux voir et entendre les morts, empêcher une sorcière de détecter ta présence. Tu es un ennemi de l'obscur. Est-ce pour cette raison que tu es ici, petite souris ? Pour me frapper de ton bâton ? Aussi pointue que soit ta dent, il t'en faudra davantage pour me détruire !

Comment savait-elle tout ça ? Lisait-elle dans mon esprit ? Cette hypothèse était effrayante, car dans un instant elle percerait le secret de mon identité. Et elle découvrirait la présence de maman. Mes craintes se révélèrent aussitôt fondées.

– Mais il y a plus ! continua-t-elle. Beaucoup plus ! Tu possèdes d'autres dons, hérités d'une mère sauvage : la capacité de défier le cours ordinaire du temps, de flairer l'approche de la mort chez les malades ou les blessés. À la lumière de la lune, ton ombre révèle ce que tu vas devenir. Quelle mère transmettrait de tels talents à une simple petite souris ? Je la vois, à présent ! Je la vois à travers toi, et je sais qui elle est. Ta mère est Lamia, mon ennemie mortelle !

Je lus son intention dans son regard, elle s'apprêtait à me tuer d'un coup de griffe. Plus vite que je ne m'en serais cru capable, j'enroulai la chaîne autour de mon poignet et sortis ma main des plis de mon manteau. L'Ordinn ne réagit pas. Elle se contenta de me fixer, le front plissé de colère. Une étrange sensation m'envahit : ma respiration avait cessé, mon cœur ne battait plus. J'étais cependant le seul être capable de bouger dans un monde totalement immobile.

Était-ce ma « capacité de défier le cours ordinaire du temps », dont l'Ordinn venait de parler ? L'avais-je vraiment héritée de maman ? Était-ce un tour semblable à celui que le Malin utilisait ? Le même qui m'avait permis, l'été précédent, d'attraper au vol le couteau que Grimalkin m'avait lancé à la tête ?

Concentré sur ma cible, je visai avec soin et lançai ma chaîne. Je n'avais pas la moindre peur de la manquer. Elle était aussi statique que le poteau d'entraînement dans le jardin de l'Épouvanteur.

La chaîne siffla et vint s'enrouler avec précision autour de l'Ordinn. De surprise, les yeux faillirent lui sortir des orbites. Elle tomba sur les genoux, hurlante, le corps arqué de douleur, les veines du cou gonflées à éclater. Puis elle se convulsa, chuta rudement face contre terre. Tordant la nuque, elle tourna son visage vers moi. Il y eut un craquement sec, comme un os qui se brise.

Ma poitrine se gonflait de nouveau, mon rythme cardiaque avait repris. Le curieux phénomène qui avait précédé le lancement de la chaîne était terminé ; le temps avait repris son cours.

L'Ordinn semblait regarder vers moi, mais ses yeux étaient vitreux. Était-elle morte ? Je n'arrivais pas à croire que ma chaîne ait une telle efficacité. J'étais à la fois soulagé et angoissé. Mon adversaire était de la lignée des anciens dieux ; tout avait été trop facile, bien trop facile...

Reculant d'un pas prudent au cas où ces manifestations auraient dissimulé un piège, je l'examinai attentivement. Elle ne donnait pas le plus petit signe de vie. Le simple contact de l'argent avait-il eu raison d'elle ? J'en doutais.

Je remarquai alors le premier indice annonciateur de danger. Une vapeur s'élevait de son corps. L'air, au-dessus d'elle, ondula. Il y eut un crépitement, suivi d'une odeur soudaine de chair brûlée.

Sa peau se mit à se craqueler, à noircir. Enfin des flammes jaillirent. Elle brûlait !

Elle eut un brusque sursaut. Sa puissante mâchoire inférieure s'allongea, sa tête se redressa. Je vis sa gorge palpiter tandis qu'elle se carbonisait. Je reculai encore d'un pas, empoignai mon bâton.

Le haut de son corps était à présent un arc de feu. Soudain, son crâne éclata avec un bruit sec, et les morceaux roulèrent au sol comme ceux d'une poterie brisée. Or, il y avait quelque chose à l'intérieur, au milieu des flammes. Quelque chose de vivant, d'excessivement dangereux. Quelque chose qui émergeait avec lenteur du crâne calciné. On aurait dit un serpent se débarrassant de son ancienne peau. Il fallait que je frappe avant qu'il soit trop tard.

Je m'approchai, un bras levé pour me protéger le visage. Je visai un point derrière ce qui restait des épaules, où je jugeai que la tête devait se trouver.

La lame de mon bâton heurta une surface dure, plus dure que de l'os. Le choc me blessa la main et se répercuta si douloureusement jusqu'à mon omoplate que je lâchai mon arme. Or, ma consternation fit tout de suite place au soulagement : si je ne l'avais pas lâchée, j'aurais perdu mon bras. Car, une seconde après, le bâton s'enflamma avec un sourd *whouch !*, consumé par une chaleur si intense qu'il tomba aussitôt en cendres. Je bondis en arrière. Un être sortait du brasier, à quatre pattes, s'extrayant de la peau noircie qui avait contenu une forme humaine. D'une secousse, il se débarrassa de la chaîne d'argent.

C'était une sorte d'énorme lézard à la peau tachetée de vert et de brun et bosselée de verrues. Je reconnus le plus puissant et le plus dangereux des élémentaux, dont Seilenos m'avait parlé : une salamandre. Cependant, celle-ci n'était pas d'une espèce ordinaire. L'Ordinn avait probablement repris sa véritable apparence, celle d'une créature maîtresse du feu.

Elle courut vers moi, sa gueule ouverte révélant deux rangées de dents tranchantes. Un jet de vapeur sortit de ses naseaux avec un sifflement. Je fis un pas de côté pour l'éviter, mais une sensation de brûlure intense m'obligea à fermer les yeux.

Il ne me restait pour toute arme que la dague de Grimalkin, cachée derrière mon épaule, sous ma chemise. D'un geste vif, je la sortis de son fourreau. Puis, concentré, je fis face à mon adversaire. De nouveau le temps parut suspendre son cours. Respirant profondément pour calmer les battements de mon cœur et apaiser mes nerfs, j'avançai d'un pas prudent.

L'Ordinn ne bougea pas. Elle me fixait de ses yeux de reptile à la pupille verticale, ramassée sur elle-même, les griffes écartées, prête à bondir. Je repérai sur son long corps le creux du cou où je prévoyais d'enfoncer ma lame. Y réussirais-je ? La dague s'enflammerait-elle avant de tomber en cendres comme mon bâton ? Il fallait bien que je coure ce risque, même si cela m'obligeait à m'approcher dangereusement. Une chaleur infernale irradiait de la créature.

Ses mâchoires s'écartèrent, révélant l'ovale incandescent de son gosier. Je n'eus pas besoin d'un autre avertissement. Cette fois, ce fut un jet de flammes qui fusa droit sur moi et me manqua de peu.

L'Ordinn se dressa alors sur ses pattes arrière, me dominant de toute sa hauteur. Sa tête se balançait, menaçante.

Je me concentrai, les yeux fixés sur la gorge pâle, juste sous la mâchoire. La peau, à cet endroit, était plus fine, plus vulnérable. C'était là qu'il fallait frapper. Presque aussitôt, l'Ordinn s'immobilisa.

Qu'était-ce que cela ? Je focalisais mon esprit sur un point, et le temps ralentissait, s'arrêtait presque... Oui, c'était le résultat de ma concentration !

Or, ce beau raisonnement faillit me coûter la vie, il m'avait distrait de mon but. La tête reptilienne s'abaissa, et une nouvelle langue de feu jaillit. Je n'eus que le temps de m'accroupir ; je sentis mes cheveux crépiter et roussir.

« Concentre-toi encore ! m'ordonnai-je. Ralentis le temps ! Arrête-le ! »

Mon attention pleinement axée sur ce que j'avais à faire, je me relevai. Serrant le manche de la dague, je risquai un pas en avant.

« Oui. Ne pense qu'à ta cible. Un pas après l'autre. C'est ça. »

Une phrase de maman me revint en mémoire :

« Quand tu deviendras un homme, mon fils, ce sera au tour de l'obscur d'avoir peur, car tu ne seras plus la proie mais le chasseur. »

Je n'étais pas encore un homme, mais je me sentais déjà dans la peau du chasseur.

J'étais à présent à une longueur de bras des mâchoires béantes. Je me préparai, puis frappai la créature à la gorge. J'enfonçai ma lame jusqu'à la garde et la lâchai aussitôt. Une vague de désespoir déferla sur moi quand je vis la dague se ramollir et couler dans un bouillonnement de métal fondu.

Une chaleur de fournaise m'obligea à reculer. Le temps avait repris son cours, et je ne pouvais rien faire pour l'en empêcher. Or, mon coup avait porté. Un arc de sang noir jaillissait de la gorge de l'Ordinn et retombait sur le sol de marbre, où il se transformait en vapeur. Un épais brouillard monta, dissimulant mon adversaire. L'avais-je au moins affaiblie ? L'odeur de brûlé me fit tousser, les yeux me piquaient, des larmes cuisantes m'aveuglaient.

Quand la vapeur se dissipa, l'Ordinn était toujours debout, dardant sur moi un regard impitoyable. La blessure à son cou s'était refermée. J'étais désarmé. Je n'avais pas le temps de fuir, elle serait déjà sur moi. Dans une seconde, j'allais être réduit en cendres.

À l'instant où je croyais ma fin venue, quelque chose se produisit.

Mes oreilles furent les premières à m'avertir. Il y eut un brusque silence, un calme étrange, semblable au vol suspendu d'un faucon s'apprêtant à fondre sur sa proie. Un silence si intense qu'il me blessait les tympans. Je levai les yeux. Une ombre plongeait du haut de la galerie. L'Ordinn pivota pour affronter cette menace tombée des hauteurs.

C'était maman. Sa métamorphose était achevée, pourtant, elle n'était nullement telle que je me l'étais imaginée. Certes, elle avait des griffes étendues, prêtes à labourer la chair de son ennemie, et des ailes. Mais ce n'étaient pas les ailes d'insecte des vangires. Elles évoquaient plutôt celles d'un ange, avec leurs longues plumes aussi blanches que la neige fraîchement tombée.

Elle s'abattit sur l'Ordinn, la plaquant sur le sol de marbre. Les deux adversaires s'empoignèrent férocement. Je vis avec douleur les plumes immaculées

roussir, noircir. Alors que je reculais, un appel désespéré me vrilla le cœur :

— Va-t'en, Tom ! Je vais la retenir ici. Fuis avant
qu'il soit trop tard !

Tout en moi m'ordonnait de venir en aide à ma
mère, mais je n'avais plus d'arme. Les combattantes
se lacéraient, leur sang jaillissait ; je dus admettre
que je ne pouvais plus rien faire. Si je m'approchais,
je serais mort avant d'avoir tenté un geste. Il ne me
restait qu'à obéir, à tenir la promesse faite à maman.
Bien que cela me déchirât le cœur, je me baissai pour
ramasser ma chaîne d'argent et quittai les lieux en
courant. Ce fut la chose la plus difficile que j'aie
jamais dû accomplir, le moment le plus sombre qu'il
m'ait été donné de vivre.

22
Dernières paroles

Bouleversé, j'escaladai les marches, récupérant au passage mon sac et la lanterne. Je pensais que Mab allait m'emboîter le pas, mais elle me fit signe de ne pas m'occuper d'elle :

– Je ne peux pas partir avec toi à cause de cette barrière invisible, Tom. J'emprunterai la porte que ta mère va ouvrir. À plus tard !

Je ne répondis rien, je n'étais plus maître de ma voix. Si j'essayais de parler, les sanglots que je retenais à grand-peine m'échapperaient de façon incontrôlable.

Je dévalai l'escalier en spirale et m'engageai dans le vaste espace obscur, en espérant marcher dans la bonne direction, pour retrouver la sortie.

Lorsque je l'atteignis, je distinguai avec soulagement les silhouettes d'Alice, d'Arkwright et de l'Épouvanteur de l'autre côté. Je franchis l'ouverture.

Alice me sauta au cou :

— Oh, Tom ! Tu en as mis, du temps ! On n'a pas trouvé d'autre entrée, alors on est revenus ici pour te guetter. On t'attend depuis une éternité ! J'ai cru que tu ne ressortirais jamais, qu'une chose terrible était arrivée.

Elle s'interrompit et me regarda au fond des yeux :

— Mais il est arrivé une chose terrible, n'est-ce pas ?

Les mots coincés dans ma gorge, j'opinai de la tête. Touchant du bout du doigt mes cheveux roussis et les cloques sur mon visage, elle gémit :

— Tom ! Tu es brûlé !

— Ce n'est rien, dis-je d'une voix rauque. Rien du tout, comparé à ce qui s'est passé...

— Raconte, petit, m'interrompit l'Épouvanteur avec une douceur inhabituelle. Dis-nous tout...

— C'est maman. Elle combat l'Ordinn. Elles mourront toutes les deux quand l'Ord s'effondrera. Il faut fuir le plus vite possible.

— On ne peut rien faire pour elle, Tom ? cria Alice. Rien qui puisse la sauver ?

Je secouai la tête, et de lourdes larmes tièdes roulèrent sur mes joues :

– Nous ne pouvons qu'exaucer son dernier vœu : nous mettre à l'abri avant la destruction de l'Ord.

Arkwright eut une grimace inquiète :

– Si nous restons là, nous serons entraînés dans les profondeurs de la Terre.

Il n'était plus temps de discuter. Nous nous lançâmes dans une course éperdue à travers les salles et les corridors obscurs, dévalant des volées d'escaliers pour rejoindre la cour pavée, tout en bas.

Nous avions trop chaud, et ce n'était pas seulement l'effort qui nous faisait transpirer. La température de l'air augmentait, la chaleur irradiait des murs. L'Ord allait s'envelopper de la colonne de feu qui l'entraînerait vers son territoire souterrain. Ses occupants retourneraient à leur sommeil avant d'avoir une chance de déferler sur le monde pour y perpétrer leurs ravages. Le globe rougeoyant d'un élémental tenta une approche ; l'Épouvanteur le repoussa d'un coup de bâton. Il s'éloigna dans un flottement incertain avant de s'éteindre.

Nous avions presque atteint la dernière galerie, celle qui menait à la cour intérieure. Nous étions presque tirés d'affaire ; presque... Un autre élémental se détacha du mur, au-dessus de nos têtes. Celui-là était gros, opaque, menaçant. Alors qu'il venait vers nous, deux autres le rejoignirent. Nous accélérâmes l'allure.

Un coup d'œil par-dessus mon épaule m'apprit qu'ils se rapprochaient, et qu'ils étaient six ou sept, à présent.

L'entrée du passage fut bientôt devant nous. C'est alors qu'Arkwright s'arrêta, tenant son bâton à deux mains.

— Passez devant ! lança-t-il. Je les retiens.

— Pas question, rétorqua mon maître. On va les affronter ensemble.

Arkwright prit son air buté.

— Pour qu'on se fasse tous tuer ? aboya-t-il. Emmenez le garçon ! C'est sa sécurité qui importe, et vous le savez !

L'Épouvanteur hésita.

— Filez tant qu'il n'est pas trop tard, insista Arkwright. Je vous rejoins dès que j'en ai fini avec ces saletés.

Mon maître me saisit alors par les épaules et me poussa dans le corridor. Je voulus résister, mais Alice m'avait attrapé un bras et m'entraînait déjà. Je jetai un regard en arrière. Arkwright nous tournait le dos, le bâton levé à l'oblique, en position de défense. Un globe incandescent fonça à l'attaque ; il le transperça de sa lame. Ce fut la dernière image que j'emportai de lui.

L'Épouvanteur, Alice et moi traversâmes la cour, parcourûmes le tunnel à toutes jambes avant de surgir de l'autre côté des murailles. Nous étions sortis de l'Ord. Nous reprîmes en hâte la route de Kalambaka, pataugeant dans la boue créée par le déluge. Nous n'étions pas les seuls survivants. Une petite troupe de sorcières des trois clans, comprenant Grimalkin, Mab et ses sœurs, courait devant nous. Nous les rattrapâmes, et mon maître lui-même parut soulagé de les trouver là.

Un rugissement, tel le cri de rage et de douleur d'un animal blessé, nous obligea à nous retourner. La nuée noire s'était reformée au-dessus de l'Ord. Des éclairs aveuglants s'en échappaient, qui illuminaient de leurs lueurs zigzagantes les flèches spiralées des trois tours.

La chaleur, dans notre dos, augmentait avec une rapidité inquiétante. Il fallait s'éloigner de là, et vite ! D'un instant à l'autre, la gigantesque artère de feu relierait le nuage au sol. Si nous en étions trop proches, elle nous entraînerait dans son tourbillon infernal.

Enfin, à bout de souffle, nous nous arrêtâmes pour regarder en arrière, alertés par les sifflements de la colonne flamboyante. On aurait dit les cris des banshees, ces créatures annonciatrices de mort. De nouveau, la colonne palpitait. L'Ord, à l'intérieur, était à présent invisible. Seul le sommet des tours luisait, chauffé à blanc. Je pensai à maman, restée dans la salle du dôme, tenant l'Ordinn entre ses griffes. Soudain, les tours vacillèrent : la citadelle se désintégrait. L'Ord était entraîné vers les profondeurs, et sa chute le détruisait. L'Ordinn était vaincue, elle ne reviendrait jamais dans notre monde. Mais maman allait mourir elle aussi dans ce brasier, et cette pensée me torturait.

Et puis il y avait Bill Arkwright. S'était-il débarrassé de ses adversaires à temps pour s'échapper ?

Le flamboiement commençait à s'éteindre, un vent violent se leva. L'air semblait puissamment aspiré vers l'endroit où l'Ord avait été englouti. Lorsque les bourrasques se calmèrent, une bruine froide se mit à tomber. Je fermai les yeux, et j'eus presque l'impression d'être de retour dans le Comté. Nous patientâmes un long moment, mais Arkwright ne réapparut pas. Il était mort, cela ne faisait aucun doute.

Nous marchâmes en silence en direction de Meteora. La pluie qui me mouillait le visage délayait mes larmes.

Nous contournâmes Kalambaka avant de nous diriger vers le plus grand des monastères. L'Épouvanteur voulait rendre visite au père supérieur et lui faire le récit des évènements.

Je me souvenais que les femmes n'étaient pas admises dans l'enceinte du bâtiment, mais je ne fis aucune remarque. Alice monta l'escalier avec l'Épouvanteur et moi. À l'aide des herbes médicinales qu'elle transportait dans son sac de cuir, elle avait concocté un onguent et l'avait étalé sur mes brûlures. La douleur s'était apaisée aussitôt. C'était une recette employée par tous les guérisseurs du Comté, l'obscur n'y jouait aucun rôle. Néanmoins, l'Épouvanteur avait secoué la tête d'un air désapprobateur.

Je préparais mes arguments en prévision d'une contestation : Alice avait tenu un grand rôle dans notre combat, participant ainsi au sauvetage du monastère. Si on lui refusait l'accès, je ferais demi-tour moi aussi.

Mais nous entrâmes sans difficulté, et on nous conduisit aussitôt auprès du supérieur. Pour la deuxième fois, nous fûmes introduits dans la cellule austère où le prêtre au visage émacié était en prière. Nous attendîmes patiemment, et je me remémorai avec chagrin notre visite précédente, quand maman était encore en vie. Enfin il releva la tête :

– Bienvenue ! Je vous suis infiniment reconnaissant, car je devine que vous revenez victorieux, sinon, vous ne seriez pas ici.

– Maman a payé cette victoire de sa vie, dis-je.

Il me sembla que ma voix, blessée, amère, appartenait à quelqu'un d'autre.

Le prêtre m'adressa un sourire très doux :

— Si cela peut t'être une consolation, sache que ta mère a donné sa vie avec joie afin de libérer notre monde de cette créature maudite. Nous en avons parlé maintes fois dans le passé. Ne te l'a-t-elle jamais dit, Thomas ?

Je secouai la tête. Ce vieil homme en savait certainement plus sur maman que moi, et cette idée me faisait mal. Elle avait prévu sa mort et ne m'avait révélé cela qu'aux derniers instants. Mais j'avais une question à poser au supérieur, une question à laquelle il me fallait à tout prix une réponse :

— L'Ord a été détruit et définitivement renvoyé vers l'obscur. Est-ce là que maman se trouve, désormais ? Enfermée pour toujours dans le noir ?

Le prêtre resta silencieux un long moment, et je compris qu'il choisissait ses mots avec soin. Je commençai à craindre le pire.

— Je crois en l'infinie miséricorde de Dieu, Thomas, dit-il enfin. Sans elle, nous serions tous condamnés, car nous sommes tous des êtres imparfaits. Nous prierons pour ta mère, c'est tout ce que nous pouvons faire.

Je ravalai un sanglot. J'aurais voulu rester seul avec mon chagrin, mais je dus encore entendre le compte rendu détaillé que l'Épouvanteur donna de notre combat.

Après quoi, nous nous rendîmes au catholicon, où les chants des moines s'élevèrent à nouveau sous les hautes voûtes. Le père supérieur me dit qu'ils priaient pour ma mère et pour toutes les victimes de l'Ordinn. Je m'efforçai du fond du cœur de croire que maman avait rejoint la lumière.

Mais le doute me rongeait au souvenir des crimes qu'elle avait commis, des siècles auparavant. Devait-elle les expier, maintenant ? Elle avait tant travaillé pour se racheter ! L'idée qu'elle puisse endurer une éternité de ténèbres m'était insupportable. Le monde me paraissait un lieu terrible, cruel, injuste. D'autant que, bientôt, je devrais affronter le Malin. J'avais espéré que maman m'armerait contre lui. À présent, j'étais seul.

Mon maître et moi attendîmes le lendemain pour discuter en détail des derniers évènements. Nous nous étions accordé une journée de repos avant de rejoindre la côte et de nous rembarquer pour le Comté. L'Épouvanteur m'entraîna à l'écart du campement, dans le but évident de nous éloigner d'Alice. Nous nous assîmes par terre, face à face.

Je lui rapportai comment maman avait repris sa forme première et immobilisé l'Ordinn pendant que l'Ord s'engouffrait dans les entrailles de la Terre. Je lui racontai presque tout, sans lui révéler cependant la véritable identité de ma mère ni mon pacte avec le Malin. Cela, je ne le lui confierais jamais ; c'était à moi seul d'affronter mon destin. Le Malin viendrait réclamer son dû la nuit suivante.

J'avais l'impression de dériver, d'être emporté loin de mon maître par un courant implacable. Il avait sacrifié beaucoup de ses principes en acceptant de venir en Grèce combattre l'Ordinn. Moi, c'était mon âme que j'avais offerte pour prix de notre victoire. Elle appartiendrait au Malin, et il ne me resterait plus aucun espoir de salut.

Quand j'eus achevé mon récit, l'Épouvanteur poussa un long soupir ; puis il tira deux lettres de la poche de son manteau :

— Elles sont de ta mère, petit. La première est pour moi, la deuxième, pour toi. Je les ai lues toutes les deux. C'est cette lecture qui m'a décidé à vous accompagner ici, au mépris de mes plus profondes convictions.

Il me les tendit, et je commençai par celle qui m'était adressée :

Cher Tom,

Si tu lis cette lettre, c'est que je ne suis plus. Ne me pleure pas trop longtemps. Rappelle-toi les moments de bonheur que nous avons partagés quand tes frères et toi étiez encore des enfants et que ton père était en vie. J'étais pleinement heureuse, alors, et aussi proche de la nature humaine qu'il m'était possible de l'être.

J'ai prévu ma mort il y a bien des années. J'aurais pu m'écarter de cette voie, mais je savais qu'en sacrifiant ma vie, j'offrirais une grande victoire à la lumière. Qu'importait le prix à payer ; l'Ordinn serait enfin vaincue.

À toi à présent de faire un pas de plus et de venir à bout du Malin. Ou du moins de le mettre hors d'état de nuire. Dans l'accomplissement de cette tâche, tu trouveras en Alice Deane une précieuse alliée. Quoi qu'il arrive, je serai toujours fière de toi. Tu as surpassé toutes mes espérances.

Avec tout mon amour,

Ta maman

Repliant lentement la lettre, je la rangeai dans ma poche. C'était la dernière chose qui me viendrait de ma mère, les derniers mots qu'elle m'adresserait. Je lus ensuite la missive adressée à mon maître, celle qui avait balayé ses ultimes réticences :

Cher monsieur Gregory,

Veuillez me pardonner les tourments que je vous ai causés. J'y ai été poussée par les plus graves motifs. Même si vous n'approuvez pas les moyens que je mets en œuvre, j'espère remporter une grande victoire. Si j'échoue, l'Ordinn sera libre de frapper où elle le décidera et, en représailles de mes attaques, sa première cible sera certainement le Comté. Sa colère s'abattra sur les lieux où réside ma famille.

Je n'ai aucune chance de survivre à la destruction de l'Ord. Dès lors, mon fils aura plus que jamais besoin de vous pour se préparer à affronter le Malin une fois pour toutes. Quant à vous, restez fidèle à vos convictions. Mais je vous supplie de m'accorder deux exceptions. La première, bien sûr, concerne Tom. Votre autorité et votre direction lui seront plus que nécessaires dans la prochaine phase de sa vie. Il n'a jamais été en aussi grand danger.

La deuxième est à propos d'Alice Deane. Elle est la fille de Satan et d'une pernicieuse. Elle suivra toujours l'étroite ligne de crête qui sépare le bien du mal. Mais elle est forte. Incroyablement forte. Si elle consentait à une alliance avec l'obscur, elle deviendrait la sorcière la plus redoutable qui ait arpenté cette Terre. C'est cependant un risque qui vaut d'être couru, car elle peut tout aussi bien devenir une puissante servante de la lumière. Ce n'est qu'en travaillant ensemble que Tom et Alice atteindront le but que je me suis fixé, qu'ils *achèveront l'œuvre de ma longue vie. Ensemble, ils ont la capacité de détruire le Malin et d'offrir au monde une nouvelle ère de paix.*

Vous pouvez m'aider à rendre cet avenir possible. Je vous en prie, soyez du voyage ! Votre présence est indispensable pour assurer la protection de mon fils et son retour sain et sauf au Comté. En perdant un peu, vous gagnerez beaucoup.

Madame Ward

– Ta mère était une grande dame, déclara mon maître. Je continue de réprouver ses méthodes, mais je dois admettre qu'elle a achevé la tâche qu'elle s'était fixée. Grâce à elle, sa terre natale est redevenue un lieu habitable. Le Comté et le reste du monde seront également plus sûrs.

L'Épouvanteur rendait justice à maman, chose qu'il n'avait jamais faite pour Alice. Certes, il ne connaissait qu'une partie de la vérité. Jamais je ne lui dirais que ma mère était Lamia, la mère d'une longue lignée de sorcières et de créatures hybrides. C'était un des secrets que je devrais garder, conscient qu'il risquait de nous éloigner l'un de l'autre.

– Et Alice, demandai-je. Accèderez-vous à la requête de maman ?

Il fourragea dans sa barbe, la mine pensive. Puis il fit un signe d'acquiescement tout en déclarant d'un ton dur :

– Tu es toujours mon apprenti, petit. Maintenant que Bill Arkwright est mort, il est de mon devoir de poursuivre ton entraînement. Quant à la demande de ta mère concernant Alice, elle m'inquiète. J'aurai beau surveiller la fille de mon mieux, je sais qu'avec elle, tout peut aller de travers. Je me sens néanmoins enclin à lui accorder un essai, au moins pour les jours à venir. Je dois bien ça à ta mère.

Plus tard, je repensai à cette conversation. Tandis que nous parlions, j'avais presque réussi à me persuader que tout se terminerait bien, que l'Épouvanteur, Alice et moi retournerions tranquillement à Chipenden, que la vie reprendrait comme avant. Mais comment aurait-ce été possible, s'il ne me restait qu'un jour à passer sur cette Terre ?

Le sort qui m'attendait me terrifiait. Je fus sur le point de tout avouer à mon maître, espérant que, grâce à son vaste savoir, il trouverait un moyen de me sauver. Pourtant, il ne fallait pas y compter.

J'avais un ultime recours : utiliser la fiole de sang, comme Alice l'avait suggéré, en ajoutant quelques gouttes de mon sang au sien. Dans ce cas, nous serions condamnés à ne plus nous quitter jusqu'à la fin de nos jours pour qu'elle profite de cette protection contre le Malin. Si nous étions séparés, la fureur du Démon s'abattrait sur elle. Non, je n'avais pas le droit de courir ce risque. Je m'étais mis dans cette situation en connaissance de cause ; c'était à moi de m'en sortir ou d'en accepter les conséquences.

23

Son Effroyable Majesté

L'Épouvanteur dormait de l'autre côté du feu, et Alice était étendue à mes côtés, les yeux fermés. Il n'était pas loin de minuit.

Je me relevai, veillant à ne faire aucun bruit, puis m'éloignai du campement et m'enfonçai dans l'obscurité. Je ne me munis même pas de ma chaîne ; elle ne serait d'aucun secours contre la puissance devant laquelle j'allais comparaître. Dans quelques instants, le Malin viendrait me réclamer son dû. Malgré mon angoisse, je devrais l'affronter seul. Si Alice ou l'Épouvanteur étaient à proximité, ils chercheraient à me défendre et le paieraient sans doute de leur vie.

Après cinq minutes de marche, je descendis une pente, traversai un boqueteau d'arbres et de buissons chétifs et pénétrai dans une clairière.

Je m'assis sur un rocher, au bord d'un ruisseau. La rive boueuse portait les empreintes de nombreux sabots, laissées par les troupeaux qui venaient y boire. Il n'y avait pas de lune, la brume cachait les étoiles, et il faisait très noir. La nuit était douce, pourtant des frissons glacés couraient sur ma peau. Bientôt, tout serait fini, ma vie sur Terre s'achèverait ici. Mais je ne rejoindrais pas la lumière, j'appartiendrais à l'obscur pour l'éternité. À quels tourments le Malin me condamnerait-il ?

Je n'eus pas longtemps à attendre. Un battement sourd résonna sur la rive opposée du ruisseau, suivi d'un sifflement. Puis il y eut un bruit d'éclaboussure, comme si un cheval ou quelque gros animal était entré dans l'eau. Cependant, le rythme de sa marche évoquait plutôt une créature se déplaçant sur deux jambes. C'était sûrement le Malin, qui venait réclamer son dû.

J'entendais l'eau bouillonner à mesure qu'il approchait. Les marques d'énormes sabots apparues sur la berge rougeoyèrent dans l'ombre. Il avait franchi le ruisseau. Chaque empreinte de ses pieds brûlants produisait un nouveau chuintement de vapeur.

Il commença à se matérialiser. Cette fois, il n'avait pas repris les traits du malheureux Matthew Gilbert. C'était le Malin sous sa véritable apparence, celle devant qui certains mouraient subitement de peur. Une luminescence sinistre émanait de lui, révélant à mes yeux épouvantés chaque détail de son effroyable personne.

Mon maître m'avait dit que Satan pouvait changer de taille à son gré. Là, il était immense, presque trois fois plus grand que moi. C'était un titan à la poitrine aussi large qu'un tonneau, n'ayant conservé de la forme humaine que quelques éléments qui le rendaient encore plus monstrueux. Ses pieds fourchus étaient ceux d'un bouc, ainsi que les cornes qui ornaient son crâne, et une longue queue traînait derrière lui dans la boue. Il était nu, le corps et le visage couverts d'une épaisse toison noire.

Il découvrit des crocs acérés ; ses yeux aux pupilles horizontales me fixaient avec malignité. Il s'approcha jusqu'à n'être plus qu'à une longueur de bras, et sa répugnante odeur de charogne m'envahit les narines. Je le fixai, fasciné par son regard implacable. J'étais en son pouvoir.

Je tremblais de tous mes membres, je sentais mes genoux se dérober sous moi. Allais-je mourir ? La bouffée d'air que j'inspirai serait-elle la dernière ?

J'entendis alors des pas derrière moi. Une lumière se refléta dans les yeux jaunes du Malin. Il les plissa de colère, et je me retournai. Quelqu'un était là, levant une lanterne. C'était Alice. Dans son autre main, elle tenait un petit objet, qu'elle brandissait comme une arme. Elle me le fourra dans la main gauche tout en criant :

– Laisse-le ! Il m'appartient. Tom est à moi ! Va-t'en ! Tu n'as pas le droit de rester ici !

À ces mots, le Malin poussa un beuglement de rage. Je crus qu'il allait se jeter sur nous et nous écraser tous les deux. Il souffla de colère, et je fus renversé sur le sol. Les arbres, dans le bosquet, gémirent et craquèrent. Puis la rafale cessa brusquement.

Un silence irréel tomba sur la clairière. Je ne percevais plus que le bruit de ma respiration, les battements de mon cœur et le clapotis du ruisseau. À la lumière de la lanterne, je vis alors ce que je tenais entre mes doigts serrés : c'était la fiole de sang.

Je me remis sur mes pieds juste après Alice, qui ramassa la lanterne tombée dans l'herbe.

– Qu'es-tu venu faire ici tout seul, Tom ? me demanda-t-elle. Tu avais rendez-vous avec le Diable ?

Comme je restais muet, elle s'approcha, levant la lanterne pour mieux me regarder. Mon cœur tambourinait, des pensées affolées tournaient dans ma tête. J'avais échappé au Malin ! J'en tremblais encore, craignant malgré tout de le voir réapparaître. Comment Alice avait-elle réussi à le chasser ?

– Je voyais bien que quelque chose te tourmentait, reprit-elle. Tu ne parlais pas, tu avais l'air bizarre. Et il y avait je ne sais quoi de nouveau dans ton regard. Tu es en deuil de ta mère, bien sûr, mais ça n'expliquait pas tout... Qu'y a-t-il que tu ne m'as pas dit ?

Je ne voulais pas répondre ; je m'efforçai de garder le silence. Le désir de partager mes frayeurs fut le plus fort. Je lâchai un torrent de mots :

– Le Malin m'est apparu, dans l'Ord. Il m'a montré ce que serait le futur : nous allions tous mourir, toi, moi, l'Épouvanteur, les habitants de Kalambaka et de Meteora, les réfugiés partis sur les routes. Il m'offrait une dernière chance : si j'acceptais ses conditions, il retarderait d'une heure l'éveil de l'Ordinn, il me dirait où la trouver. Si je refusais, maman mourrait pour rien, nous aurions échoué.

Je lus de la peur dans les yeux d'Alice. Après un temps d'hésitation, elle reprit :

– Qu'est-ce qu'il exigeait en échange, Tom ?

– Ce n'est pas ce que tu crois. Il ne m'a pas demandé de m'allier à lui, j'aurais refusé.

– Quoi, alors ? Parle ! Ne me laisse pas dans l'ignorance !

– Je lui ai promis mon âme. Si l'Ordinn avait gagné, elle aurait été libre d'user du portail à son gré, d'apparaître où et quand elle l'aurait décidé. Et elle aurait dévasté le Comté. J'ai fait ce que le devoir exigeait.

— Oh, Tom ! Tom ! Quelle folie ! Sais-tu à quoi tu t'es engagé ?

— Oui, j'ai consenti à une détresse éternelle. Qu'aurais-je pu faire d'autre ? J'espérais confusément que maman trouverait un moyen de me sauver. Mais elle était morte, et je n'avais plus qu'à accepter mon destin.

— C'est bien pire que ça ! Tu n'imagines pas à quel point ! Après ta mort, quand le Malin aura pris possession de ton âme, tu seras totalement en son pouvoir. Il te fera subir les pires tortures. Souviens-toi : tu m'as raconté un jour comment Morgan tourmentait l'âme de ton père[1] !

Je m'en souvenais, bien sûr. Morgan était un puissant nécromancien. Il avait retenu l'âme de mon père dans les Limbes et lui faisait croire qu'il était en Enfer, qu'il ressentait la brûlure des flammes.

— Le Malin s'y prendra de la même manière avec toi, Tom, continua-t-elle. Il te fera payer cher ton audace de l'avoir défié. Ce n'est pas tout : tu lui as abandonné ta vie, ce n'est pas lui qui te la prendra. Tu sais ce que ça signifie : le lien qui l'entrave sera

---

1. Lire *Le secret de l'Épouvanteur*.

rompu. Sans toi pour lui barrer la route, il sera en liberté. Il gagnera en puissance, entraînant avec lui toutes les forces de l'obscur, jusqu'à prendre enfin possession de la Terre. Et toi, dans des douleurs sans nom, tourmenté au-delà de ce qu'une âme peut supporter, tu te feras son allié pour obtenir ne serait-ce qu'un instant de soulagement. Nous avons peut-être vaincu l'Ordinn, mais à quel prix !

Elle s'interrompit avant de reprendre :

– Il y a tout de même une chose contre laquelle le Malin ne peut rien...

Elle désigna la fiole de sang que je tenais toujours à la main :

– Tu en as vraiment besoin, maintenant. C'est ce qui l'a repoussé.

– Comment se fait-il que ça ait marché ? m'étonnai-je. Je croyais qu'un peu de mon sang devait être ajouté au tien.

– Je t'en ai pris sans ta permission, Tom. Je suis désolée, mais il fallait que je le fasse. Quand ces rochers ont dégringolé sur toi, dans le tunnel, tu es resté un long moment inconscient. Je ne t'en ai pris que trois gouttes, c'est suffisant. Ton sang et le mien sont mêlés dans ce flacon. Garde-le sur toi en permanence, et le Malin ne t'approchera plus. Oublie tes principes ! Ils n'ont plus d'importance maintenant, non ? Tu as utilisé le noir pouvoir que t'a donné

Grimalkin et tu as vendu ton âme. Cette fiole contient ton unique chance de salut.

Alice disait vrai, je n'avais rien d'autre. C'était l'ultime moyen de tenir le Malin à distance. Mais les pires craintes de l'Épouvanteur se réalisaient. Peu à peu, de compromission en compromission, je me laissais entraîner vers l'obscur.

— Que se passera-t-il quand je mourrai, Alice ? demandai-je. Que ce soit dans cinq ou dans cinquante ans, le Malin attendra toujours mon âme. En fin de compte, il s'en emparera.

— Il n'aura pas ton âme si tu le détruis le premier.

— Le détruire ? Comment ?

— Il y a forcément un moyen. Ta mère t'a mis au monde dans ce but. Elle ne t'a pas donné d'indication ?

Je secouai la tête, doutant que maman ait eu la moindre idée là-dessus. Si c'était le cas, elle n'y avait jamais fait allusion. À présent, il était trop tard pour lui poser la question.

— On trouvera, Tom, m'affirma Alice. Que tu le tues ou que tu l'entraves, tu recouvreras la paix.

Je resserrai les doigts sur la fiole, ma dernière arme contre Satan.

Le lendemain à l'aube, nous repartîmes vers le port d'Igoumenitsa, où *La Céleste* devait nous attendre.

Les sorcières survivantes avaient déjà pris la route, et nous n'étions plus que trois, l'Épouvanteur, Alice et moi.

Dès le début du voyage, un petit évènement me remonta le moral. Des aboiements retentirent : Griffe et ses deux chiots galopaient vers nous. Ils se jetèrent sur moi et me firent fête à grands coups de langue sur mes mains.

– J'ai toujours su que cette chienne serait à toi un jour ou l'autre, observa Alice en souriant. Je n'avais pas pensé que tu hériterais des trois !

Mon maître ne montra pas le même enthousiasme :

– Ils voyageront avec nous, et nous les ramènerons au Comté. Après quoi... Ce sont des chiens dressés à une chasse bien particulière, et Bill savait utiliser leurs talents. Néanmoins, ils n'ont pas leur place à Chipenden. Ils ne feraient pas bon ménage avec le gobelin. Ils ne survivraient pas une nuit dans le jardin. Il vaudrait mieux leur trouver de bons maîtres.

Je n'avais rien à redire à ces arguments. Mais j'étais content d'avoir les bêtes à mes côtés ; elles rendirent mon voyage jusqu'à la côte un peu moins triste.

Pendant la traversée, je ne dormis pas dans un hamac, sur le pont, comme à l'aller, mais dans un lit confortable. L'Épouvanteur m'avait incité à occuper la cabine de maman :

– Pourquoi pas, petit ? C'est ce qu'elle aurait voulu, j'en suis sûr.

Mon retour au pays se fit donc dans un luxe relatif. La nuit, bercé par le roulis, écoutant les craquements de la coque et les reniflements des trois chiens couchés devant ma porte, j'avais le temps de réfléchir.

Je tournais et retournais dans mon esprit le souvenir du drame que nous avions vécu. J'en revenais indéfiniment aux mêmes douloureuses interrogations : maman était-elle piégée par l'obscur, enfermée à jamais dans les décombres de l'Ord ? Bill Arkwright avait-il connu le même destin ?

Chaque soir, j'espérais rêver de maman ; cela devenait une obsession. L'état de rêve m'importait plus que celui d'éveil. Pendant près de deux semaines, rien ne se passa, jusqu'à ce que, enfin, elle m'apparût. J'étais lucide, pleinement conscient que je rêvais.

Nous étions à la ferme, dans la cuisine, assis de part et d'autre de l'âtre. Maman se balançait dans son rocking-chair ; moi, sur mon tabouret, je me sentais heureux et comblé. C'était la mère de mon enfance, pas la femme revenue de Grèce dont l'aspect avait fait craindre à mon frère Jack une substitution.

Encore moins cette espèce d'ange à la beauté effrayante qui m'avait parlé pour la dernière fois dans l'Ord. Elle s'adressa à moi, d'une voix où vibraient la tendresse et la compréhension :

— J'ai toujours su que tu devrais te compromettre avec l'obscur, mon fils. Je savais que tu accepterais un marché avec le Malin, parce que tel était ton destin. Tu n'as pas agi seulement pour ceux que tu aimais, mais pour le bien du Comté et du reste du monde. Ne t'adresse aucun reproche. Tu es ce que tu es, c'est ta force et ton fardeau. Surtout, n'oublie pas que, si le Malin t'a blessé, tu l'as blessé aussi, et tu as profondément atteint l'obscur. Aie foi en toi, mon fils. Crois que tu vas guérir, et tu seras guéri. Ne te juge pas trop durement. Certaines choses doivent s'accomplir ; il faut parfois tomber avant de se relever et devenir celui que l'on est en vérité.

Je voulus m'approcher pour l'embrasser, mais à peine avais-je esquissé un mouvement que le rêve s'évanouit. J'ouvris les yeux ; j'étais de retour dans la cabine.

Était-ce encore un rêve ? Trois jours plus tard, alors que nous traversions le détroit de Gibraltar, j'eus une nouvelle rencontre avec maman. Le vent était tombé, le navire presque encalminé. Ce soir-là, à peine avais-je posé la tête sur l'oreiller que je m'endormis.

Alors que j'étais sur le point de me réveiller, un bruit, à côté du lit, un craquement bizarre, tel un tissu qui se déchire, me glaça de peur.

Je ne ressentais pas le froid annonçant l'approche de l'obscur mais une présence puissante, rebutante. Comme si l'être qui se tenait près de moi n'avait pas le droit d'être là. Comme s'il avait transgressé toutes les règles régissant le monde conscient. Il y a des rêves agréables qui tournent au cauchemar ; cette fois, ce fut le contraire. Soudain, quelque chose de chaud me toucha, et ma terreur s'évanouit.

Ce n'était pas une main, il n'y avait pas de contact avec ma peau. J'eus simplement l'impression que cela passait à travers moi, imprégnant mes os, mes muscles, mes nerfs. Chaleur et amour. Pur amour. Je n'aurais su le définir autrement. Pas de mots, pas de message audible. Pourtant, je n'eus aucun doute, c'était maman. Elle était venue me dire au revoir, elle était en paix. De cela, j'étais sûr. Et, avec cette certitude, ma peine s'atténua.

Ça ne peut pas être vrai !

Une fois encore, nous essuyâmes une tempête dans la baie de Biscay, qui secoua durement le navire. En dépit d'un mât brisé et de gréements endommagés, nous en sortîmes sains et saufs. Nous fîmes voile vers les falaises du Comté, la température fraîchissant d'heure en heure.

À peine débarquées à Sunderland, Grimalkin, Mab et les autres sorcières survivantes se hâtèrent de regagner Pendle.

Les chiens sur nos talons, nous prîmes la route de la ferme.

Il était de mon devoir d'annoncer la mort de maman à la famille.

Nous marchions en silence, plongés dans nos pensées. Lorsque la ferme fut en vue, je pris soudain conscience de ce que la présence d'Alice aurait d'offensant pour Jack et Ellie. Elle ne pouvait cependant s'éloigner de moi sans perdre la protection de la fiole de sang. Le Malin serait capable de lui fondre dessus pour se venger d'elle. Pesant le pour et le contre, je suggérai :

– Alice n'a qu'à m'accompagner. Jack va être perturbé par les nouvelles que j'apporte. Elle pourra lui donner de ses herbes pour l'aider à dormir.

L'Épouvanteur leva un sourcil dubitatif. Il était plus que probable que Jack refuserait les soins d'une sorcière, et il le savait. Sans lui laisser le temps de contester, je me dirigeai à grands pas vers la ferme, Alice à mes côtés, abandonnant mon maître en compagnie de Griffe et de ses petits.

Les chiens de la ferme donnèrent bientôt de la voix, et Jack sortit de la pâture pour courir à ma rencontre. À quelques mètres de moi, il s'arrêta. Il ne s'attendait pas forcément à ce que maman quitte sa terre natale pour revenir au Comté, et son absence ne devait pas l'inquiéter outre mesure. Cependant, ce qu'il lut sur mon visage dut lui faire craindre le pire car il s'écria :

– Qu'y a-t-il ? Que s'est-il passé ? L'avez-vous emporté ?

– Oui, nous avons vaincu. À un terrible prix. Maman est morte, Jack. C'est douloureux à dire ; elle est morte.

Je vis les yeux de mon frère s'agrandir, non de chagrin mais d'incrédulité :

– Ce n'est pas vrai, Tom ! Ça ne peut pas être vrai !

– Oui, c'est dur. Hélas ! c'est la vérité. Maman est morte en détruisant son ennemie. Elle s'est sacrifiée pour faire du monde un lieu où la vie soit meilleure.

Le visage de Jack se contracta.

– Non ! Non ! cria-t-il.

J'esquissai un geste de réconfort ; il me repoussa en répétant :

– Non ! Non ! Non !

James prit la nouvelle avec plus de sang-froid. Il m'avoua, pensif :

– Je savais que ça arriverait. Je m'y attendais.

Il me serra dans ses bras et, malgré la maîtrise qu'il s'efforçait d'afficher, je le sentis trembler.

Plus tard, Jack alla se coucher, et nous restâmes autour de la table de la cuisine, silencieux. Ellie sanglotait doucement. Pour être franc, j'avais hâte de quitter la ferme. Tout cela ne faisait que raviver la douleur que me causait l'absence de maman.

Ellie avait fait de la soupe, et je me forçai à y tremper des morceaux de pain pour restaurer mes forces. Nous ne restâmes que deux heures. Avant de partir, je montai à la chambre de Jack et frappai légèrement à la porte. Il n'y eut pas de réponse. Après deux autres essais, j'abaissai la clenche et poussai doucement le battant. Mon frère était assis sur le lit, le dos contre le dossier, le visage ravagé de chagrin.

— Je viens te dire au revoir, Jack, dis-je. Je repasserai dans un mois ou deux. James est là pour t'aider, tout ira bien.

— Bien ? répéta-t-il amèrement. Comment les choses pourraient-elles aller bien ?

— Je suis désolé, Jack. J'ai autant de peine que toi. La différence, c'est que j'ai eu plusieurs semaines pour m'habituer. J'ai encore mal, mais cela s'apaise peu à peu. Ce sera pareil pour toi ; il faut juste laisser faire le temps.

— Le temps n'y fera rien, grommela-t-il.

Je me balançai d'un pied sur l'autre, ne sachant qu'ajouter.

— Au revoir, Jack. Je reviendrai bientôt, promis.

Il hocha la tête. Mais il n'avait pas fini de parler. Au moment où je franchissais le seuil, il émit un sanglot étranglé et déclara lentement, d'une voix teintée d'amertume :

— Du jour où tu es devenu apprenti épouvanteur, les choses ont commencé à mal tourner. Et elles ont empiré quand tu as amené pour la première fois cette fille, Alice, à la ferme. Ça me rend malade de la savoir encore ici, aujourd'hui. Nous étions heureux, autrefois. Très heureux. Tu ne nous as apporté que du malheur.

Je sortis en refermant la porte derrière moi. Ce n'était pas la première fois que Jack m'accusait ainsi, mais je n'avais plus rien à dire pour ma défense. À quoi bon gaspiller des mots puisqu'il ne m'écouterait pas ? Que maman ait prévu tout cela depuis le début, il ne le comprendrait jamais. J'espérais seulement qu'il finirait par se faire une raison. Ce serait long et difficile.

Ellie nous donna du pain et du fromage pour la route, et nous prîmes congé d'elle et de James. Elle ne m'embrassa pas. Depuis notre arrivée, elle s'était montrée distante. Elle gratifia cependant Alice d'un petit sourire triste.

L'Épouvanteur nous attendait avec les chiens dans le bois, sur la colline du Pendu. Il avait occupé le temps en me taillant un nouveau bâton.

— Tiens, petit, me dit-il en me le tendant. Ça fera l'affaire pour le moment. À Chipenden, je t'en procurerai un muni d'une lame. Celui-ci est tout de même en bois de sorbier, et j'ai épointé l'extrémité.

Je testai son équilibre, il tenait bien en main. Je remerciai mon maître, et nous reprîmes la route du

Nord. Au bout d'une heure, je me laissai distancer par l'Épouvanteur pour marcher à côté d'Alice.

– Mon frère Jack me tient pour responsable de ce qui est arrivé, lui dis-je. Et je ne peux lui en vouloir. Le jour où je suis parti en apprentissage avec John Gregory a marqué le début de la fin pour notre famille.

Alice me prit la main :

– Ta mère a accompli sa tâche jusqu'au bout, Tom. Tu peux être fier d'elle. Jack finira par le comprendre. De plus, tu es toujours l'apprenti de l'Épouvanteur. Nous serons bientôt à la maison, je reprendrai mon travail de copiste, et nous vivrons de nouveau ensemble. C'est plutôt bien, non ?

Je reconnus, sans réussir à chasser tout à fait ma tristesse :

– Tu as raison, Alice. Nous pourrons toujours compter l'un sur l'autre.

Ses doigts pressèrent doucement les miens, et nous continuâmes en silence, le cœur un peu moins lourd.

Comme à mon habitude, j'ai écrit ce récit de mémoire, ne me référant à mes notes qu'en cas de nécessité. Le cours de la vie a repris à Chipenden. Je poursuis mon apprentissage avec mon maître, tandis qu'Alice recopie les ouvrages de sa bibliothèque. La guerre continue, des troupes ennemies venues de l'est font route vers le Comté, pillant et brûlant tout sur leur passage. Ces nouvelles rendent l'Épouvanteur fort nerveux ; il craint pour ses précieux volumes.

Les chiens de Bill Arkwright, Griffe, Sang et Os, ont été confiés provisoirement à un ancien berger vivant non loin de Long Ridge, en attendant qu'on leur trouve un nouveau foyer. Je vais les voir de temps en temps, et à chaque fois ils me font fête.

Je conserve précieusement au fond de ma poche la fiole de sang, notre seule protection contre le Malin, et Alice ne s'aventure jamais loin de moi. C'est un secret que nous sommes seuls à partager. Si l'Épouvanteur le découvrait, il briserait la fiole contre un rocher, et c'en serait fini de nous. Pourtant, je le sais, le moment des comptes viendra.

Le Malin attend son heure. Le jour où je mourrai, il sera là pour me réclamer mon âme. C'est le prix que je lui ai accordé en échange de la victoire contre l'Ordinn. Mon seul espoir est de le détruire avant. Comment ? Je l'ignore. Mais maman croyait en moi, et je m'efforce de croire, moi aussi, que j'en suis capable. D'une manière ou d'une autre, je trouverai un moyen. Il le faut.

Thomas J. Ward

Cet ouvrage a été mis en pages
par DV Arts Graphiques à La Rochelle

Impression réalisée par

BRODARD & TAUPIN

La Flèche
en juin 2010

pour le compte des Éditions Bayard

Imprimé en France
N° d'impression : 58680